超絵解本

おもしろくてタメになる
単位と法則事典

科学の理解が深まる単位と重要法則100

$\nu = -N \frac{\Delta \phi}{\Delta t}$

$mg = F$

$F = kx$

$F = K_m \frac{m_1 m_2}{r^2}$

$T = 2\pi \sqrt{\frac{l}{g}}$

$F = K_e \frac{q_1 q_2}{r^2}$

s

kg

m

$E = mc^2$

mol

A

$V = RI$

cd

K

$F_G = G \frac{m_1 m_2}{r^2}$

$F = \rho V g$

はじめに

私たちは生活の中で，さまざまな「単位」を使っています。

もしこの世に単位がなかったら，どうなるのでしょう？

たとえば，「1メートルの棒」は「1の棒」となってしまい，

1が何を示しているのか，さっぱりわかりません。

単位を使うことではじめて，1が示す正しい意味を

ほかの人と共有することができるのです。

単位の背後には，さまざまな「法則」があります。

電化製品が熱くなるのも，ロケットが宇宙を飛べるのも，

それぞれ決まった法則にしたがっているからです。

この本では，ふだん使っている単位から宇宙の法則までを，

わかりやすいビジュアルで紹介しています。

どうぞ最後までお楽しみください！

プロローグ

1 世界共通で定められた「基本単位」

2 基本単位を組み合わせた「組立単位」

4 運動と波，電気と磁気の法則

5 現代物理学と宇宙の法則

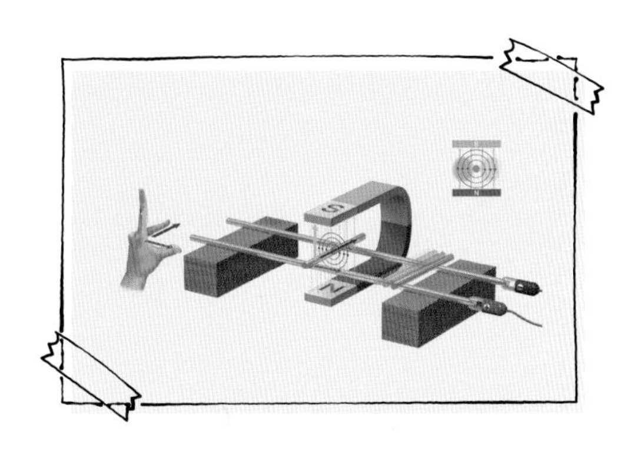

プロローグ

くらしの中は『単位』でいっぱい！

単位がなければ，長さも時間もあらわせない！

私たちの身のまわりには，たくさんの「単位」があります。たとえば料理のレシピをみただけでも，「水400ミリリットル」「肉300グラム」「1センチメートル幅に切る」「600ワットのレンジで5分加熱」など，さまざまな単位が登場します。

単位とは，「物をはかったりくらべたりするときに基準となる量」のことです。

もし，単位がなかったら，私たちは物の長さや重さを正確にあらわすことができず，ほかの人と共有することもできません。

現在，世界共通の単位として，「国際単位系（SI単位系）」が定められています。国際単位系には七つの「基本単位」があります。長さの「メートル（m）」，質量の「キログラム（kg）」，時間の「秒（s）」，電流の「アンペア（A）」，温度の「ケルビン（K）」，物質量の「モル（mol）」，明るさ（光度）の「カンデラ（cd）」です。くわしくは1章で紹介します。

身のまわりにあふれる単位

私たちのくらしの中で使われている単位を示しました。単位がないと，時間も温度も示すことができません。明るさなども，感覚的にしかとらえることができなくなってしまいます。

プロローグ

『法則』や『原理』は自然界のルール

一定の条件のもとで，つねになりたつ関係

みなさんは，さまざまな「法則」を学校の授業で習ったことがあるのではないでしょうか。たとえば中学校で習う法則には，「オームの法則」があります。また，法則と関係が深いものに，「原理」があります。「てこの原理」は，聞いたことがある人も多いでしょう。

法則や原理は，大ざっぱにいうと，“自然界のルール”のようなものです。法則や原理を使えば，自然界でおきるさまざまな現象を説明したり，予測したりすることができるのです。

では法則と原理には，どのような関係があるのでしょうか。**まず原理とは，「多くの現象をなりたたせる，最も基礎的な理論」のことです。**原理は，理論を組み立てる際の前提になります。**一方，法則とは，「一定の条件のもとでつねになりたつ関係」のことです。**法則は原理からみちびかれ，理論を数式や言葉であらわします。法則と原理には，このような関係があるのです。

法則と原理の関係

ドイツ生まれの物理学者アルベルト・アインシュタイン（1879～1955）は，相対性原理と光速度不変の原理をもとに，特殊相対性理論をつくりました。この理論の中には，物質の質量が大きなエネルギーにかわることを示した法則「$E=mc^2$」（Eはエネルギー，mは質量，cは光速）があります（くわしくは5章）。

光速度不変の原理（100ページ）

アインシュタインは，光の速度は一定であるという原理を示しました。光を同じ速度で追いかけても，光は光速で進んでいるように見えます。

相対性原理（106ページ）

等速で進んでいる場所では，物体は，止まっている場所と同じようにふるまいます。たとえば，等速で進んでいる舟では，止まっている舟と同じように，石が足元に落ちます。

1

世界共通で定められた『基本単位』

現在，世界共通の単位として使われているのは，「国際単位系（SI 単位系）」とよばれる単位系です。国際単位系には，七つの「基本単位」があります。1章では，この基本単位についてみていきましょう。

世界共通で定められた「基本単位」

『メートル』は，光が進む距離を基準にする

子午線，原器，光速，長さの基準は大きく変わってきた

国や地域によって単位がばらばらだと，貿易や商売，市民生活に混乱が生じます。そのようなことをなくすために，18世紀のフランスで，単位を統一しようという運動がおこりました。そしてできあがったのが「メートル法」という単位系です。

このとき基準となったのは，地球の子午線（経線）です。そして北極から赤道までの子午線（経線）の長さの1000万分の1を，1メートル（m）にすると決められました。

1889年には，白金とイリジウムの合金製の「国際メートル原器」が長さの基準として採用され，その複製が各国へ配られました。しかし，メートル原器は熱で膨張したり，年月を経ると長さが変わったりしたのです。

そこで，地球や原器といった「物」ではなく，「自然現象」をもとに長さの基準を決めることが検討されるようになります。1983年，第17回国際度量衡総会で，「光速」を長さの基準に使うことが決定されました。光速は自然界の最高速度で，光源の運動や光が進む方向などに影響を受けず，時間がたっても変わらないという性質をもっています。

光速をもとに現在では，1メートルは「1秒※の2億9979万2458分の1の時間に光が真空中を進む距離」と定義されています。

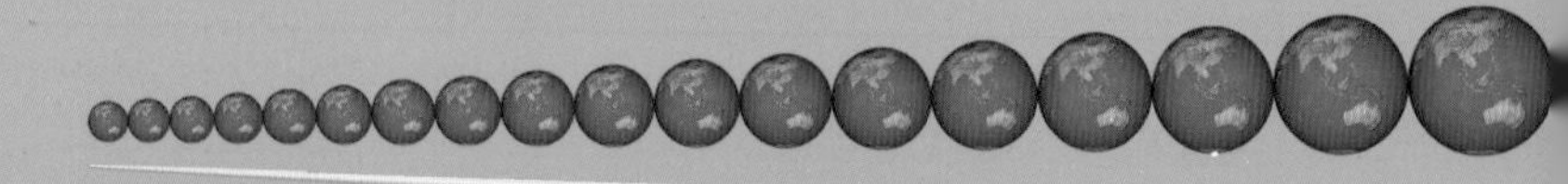

光速 c = 299792458m/s

※：秒はセシウム原子の周波数で定義されます（18ページ）。

長さの基準のうつり変わり

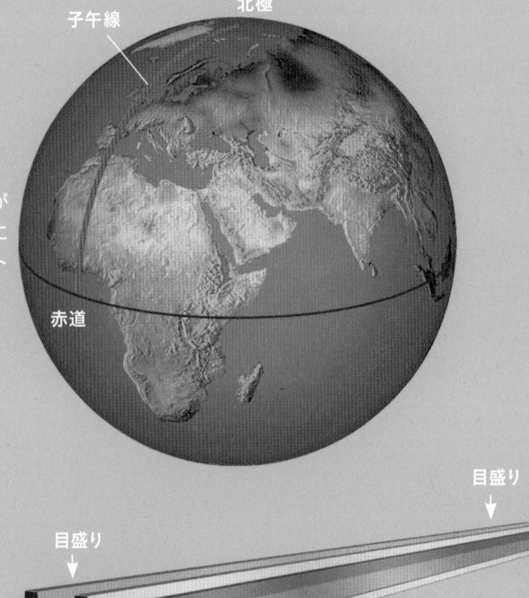

1. 子午線の長さが 1メートルの基準になった

子午線の北極から赤道までの長さが求められ，1799年，フランス国内において，その1000万分の1を1メートルにすると定義されました。

メートル原器の表面にきざまれた目盛り。原器の両端にある，平行な3本の目盛り線のうち，中央の線どうしの間の距離を1メートルとしました(0℃の環境下)。

メートル原器

目盛り

目盛り

メートル原器

2. メートル原器の目盛り線の間隔が1メートルになった

1889年の第1回国際度量衡総会から，白金とイリジウムの合金でつくられた国際メートル原器が，長さの基準に使われるようになりました。

3. 光速が1メートルの基準に使われるようになった

1983年以降，光が299792458分の1秒に進む距離が1メートルの基準に使われています。

光が真空中で1秒の間に進む距離の

$$\frac{1}{299792458}$$

メートル

［m］

光が真空中で299792458分の1秒の間に進む距離。

世界共通で定められた「基本単位」

『キログラム』は，光のエネルギーが基準

質量の単位は，光があわせもつ波と粒子の性質がかぎ

プランク定数とは？

量子力学によると，電子などの素粒子や光は，波と粒子の性質をあわせもっています。右ページの式「$E=h\nu$」は，「光の粒子（光子）のエネルギーは振動数に比例する」ということをあらわしています。式「$\lambda=h/mv$」は，「電子の波長は，電子の運動量に反比例する」ということをあらわしています。プランク定数は，これらの関係の比例定数です。

質量とは，「物の動かしにくさ」

金属の球：動かしにくい＝質量大

ピンポン球：動かしやすい＝質量小

質量は，物の動かしにくさ（より正確には加速しにくさ）をあらわす量です。上の図では，無重力空間で，金属の球とピンポン球を同じ力で，同じ時間だけ押したようすをえがいています。動かしにくい金属の球のほうが，質量が大きいといえます。

二つ目の基本単位は，質量の単位である「キログラム（kg）」です。

キログラムは，1889年以来，「国際キログラム原器」を基準としてきました。しかし，作製から100年以上経過した結果，質量が約50マイクログラムほど変動していることがわかりました。

そこで2019年の国際度量衡総会で，キログラムの定義は「プランク定数（h）」を基準にすることが決定されました。光の粒子1個がもつエネルギーは，光の周波数に比例します。その比例定数がプランク定数で，$6.62607015 \times 10^{-34}$ J・s（ジュール※1・秒）と定められました。

アインシュタインの有名な式「$E=mc^2$」と光量子仮説の式を使って計算すると，「1キログラムは，周波数が$\frac{299792458^2}{6.62607015 \times 10^{-34}} = 1.35639249 \times 10^{50}$ヘルツ※2の光のエネルギーと等価な質量である」といえます。

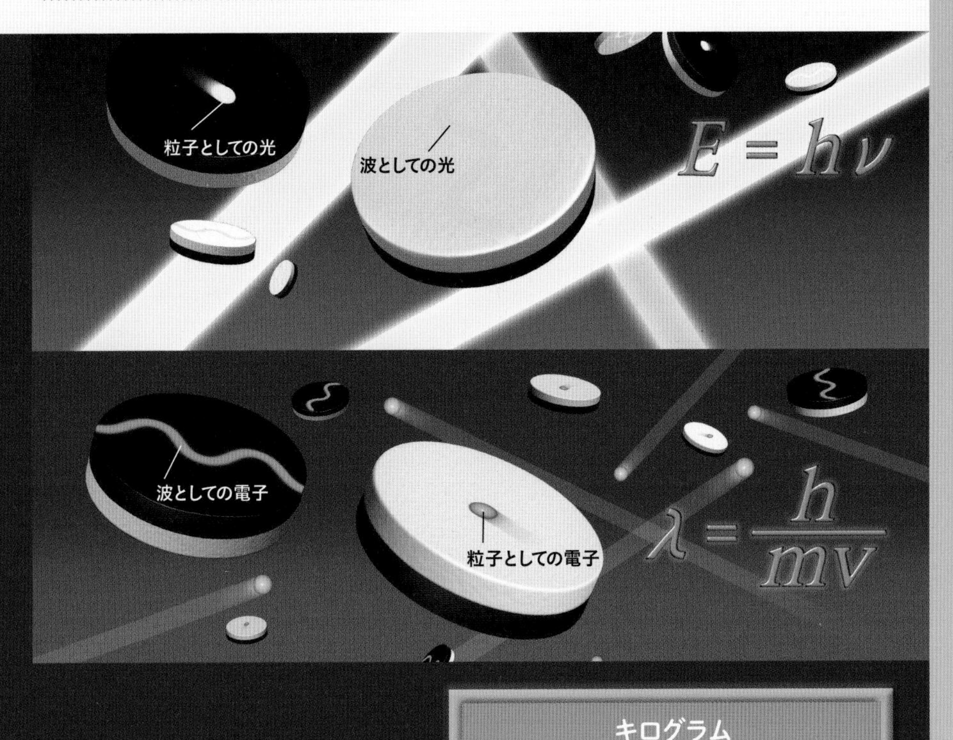

キログラム
［kg］

1キログラムは，$1.35639249 \times 10^{50}$ヘルツの周波数をもつ光子（光を構成する粒子）のエネルギーに等しい質量エネルギーをもつ物体の質量（式で書くと$h\nu = mc^2$となる）。

※1：エネルギーの単位（34ページ）。
※2：周波数（1秒あたりの波の振動回数）の単位（32ページ）。

世界共通で定められた「基本単位」

『秒』を決めるのはセシウムの原子

精密な時間は、セシウム133原子がつくりだす

三つ目の基本単位は，時間の「秒（s）」です。

私たちが日常使っている時計のほとんどは，水晶に電圧をかけて生じる振動を利用するクオーツ時計です。これに対して，時間の国際的な定義に用いられているのは，原子時計とよばれるものです※。セシウム133という原子が利用されています。

原子は，決まった周波数（32ページ）の光（電磁波）だけを吸収して，エネルギー状態が高くなる性質をもっています。

セシウム133原子の場合，周波数91億9263万1770ヘルツの電磁波である「マイクロ波」を吸収すると，高いエネルギー状態になります。**この性質を利用して，1秒は，「セシウム133原子が吸収するマイクロ波が，91億9263万1770回振動するのにかかる時間」と定められています。**

原子時計のしくみ

原子時計では，セシウム133原子にマイクロ波を当て，セシウム133原子のエネルギー状態が高められたことを確かめてから，マイクロ波の振動回数をカウントします。そして，この振動回数が91億9263万1770回を数えたときに1秒たったとして時間を1秒進めます。

※：現在は，原子時計の1000倍もの精度をもつ「光格子時計」が開発されています。1秒の定義は，さらに進化するかもしれません。

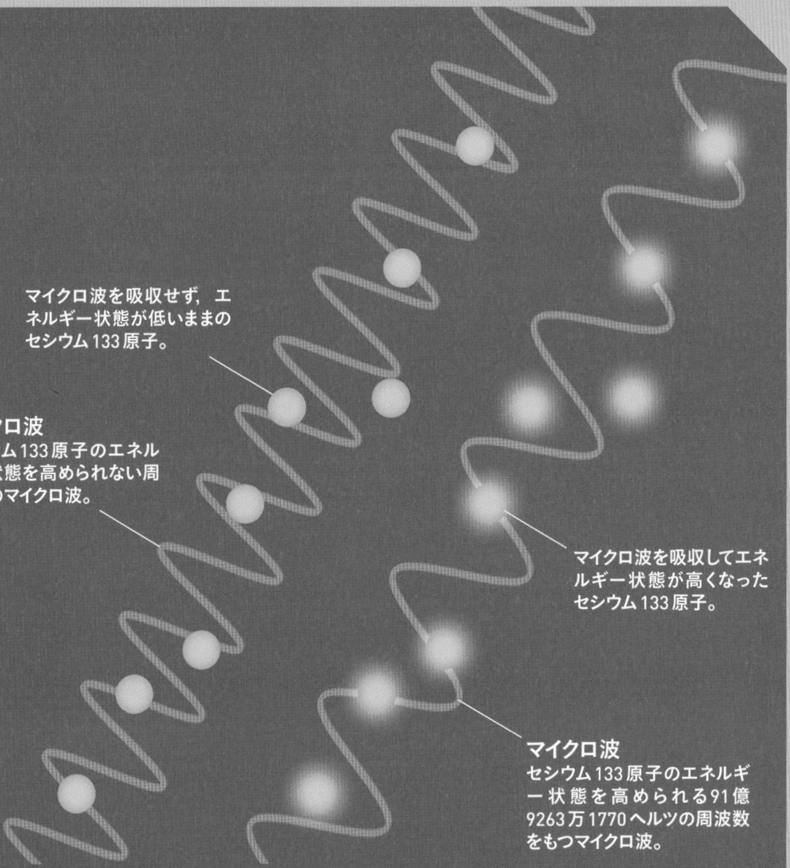

マイクロ波を吸収せず，エネルギー状態が低いままのセシウム133原子。

マイクロ波
セシウム133原子のエネルギー状態を高められない周波数のマイクロ波。

マイクロ波を吸収してエネルギー状態が高くなったセシウム133原子。

マイクロ波
セシウム133原子のエネルギー状態を高められる91億9263万1770ヘルツの周波数をもつマイクロ波。

03 01 32

原子時計

秒

[s]

1秒は，セシウム133原子が吸収・放出する，ある特定の電磁波が91億9263万1770回振動するのにかかる時間。

世界共通で定められた「基本単位」

『アンペア』は，電子の流れから決められる

電流の大きさは，導線内を通過する電子がもつ電子量をもとにする

アンペアの変遷

電流の単位「アンペア（A）」の基準は，かつては水溶液の電気分解をもとに決められ（**1**），その後，電流を流した導体にはたらく力をもとに決められました（**2**）。そして2019年，電気素量（電子の電気量の大きさで，符号をプラスにしたもの）をもとに決められるようになりました（**3**）。

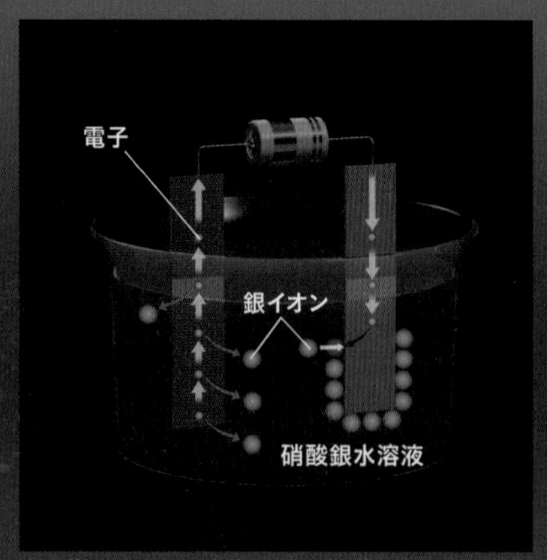

1. 銀めっきを使った定義

かつてはアンペアの定義を，「硝酸銀水溶液中を通過する電気が毎秒0.001118000グラムの銀を析出させる電流」と定めていました。

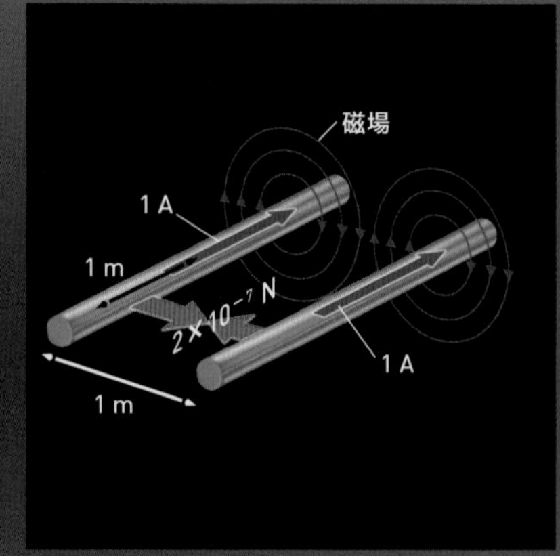

2. 導線が引き合う力をもとにした定義

1948年の国際度量衡総会で，アンペアは，2本の導体を流れる電流がおよぼし合う力を基準にすることが決められました。

四つ目の基本単位は，電流の「アンペア（A）」です。

電流とは，一言でいうとマイナスの電気を帯びた「電子」の流れです。金属などの導体の中には，自由に動くことができる電子（自由電子）がたくさん存在しています。導線を電池につなぐと，自由電子が電池のマイナス極（負極）からプラス極（正極）へ向かっていっせいに移動します。これが電流の正体です。

2019年の国際度量衡総会で，電気素量 e（電子1個が帯びている電気の量）の値が厳密に $1.602176634\times10^{-19}$ クーロン（C）と定められ，これをもとにアンペアが定義されました。

1アンペアは，1秒間に1クーロンの電気の量が運ばれるときの電流の大きさです。そのため，1アンペアの電流は，1秒間に $\frac{1}{1.602176634\times10^{-19}}$ 個の電子が運ばれるときの電流だといえます。

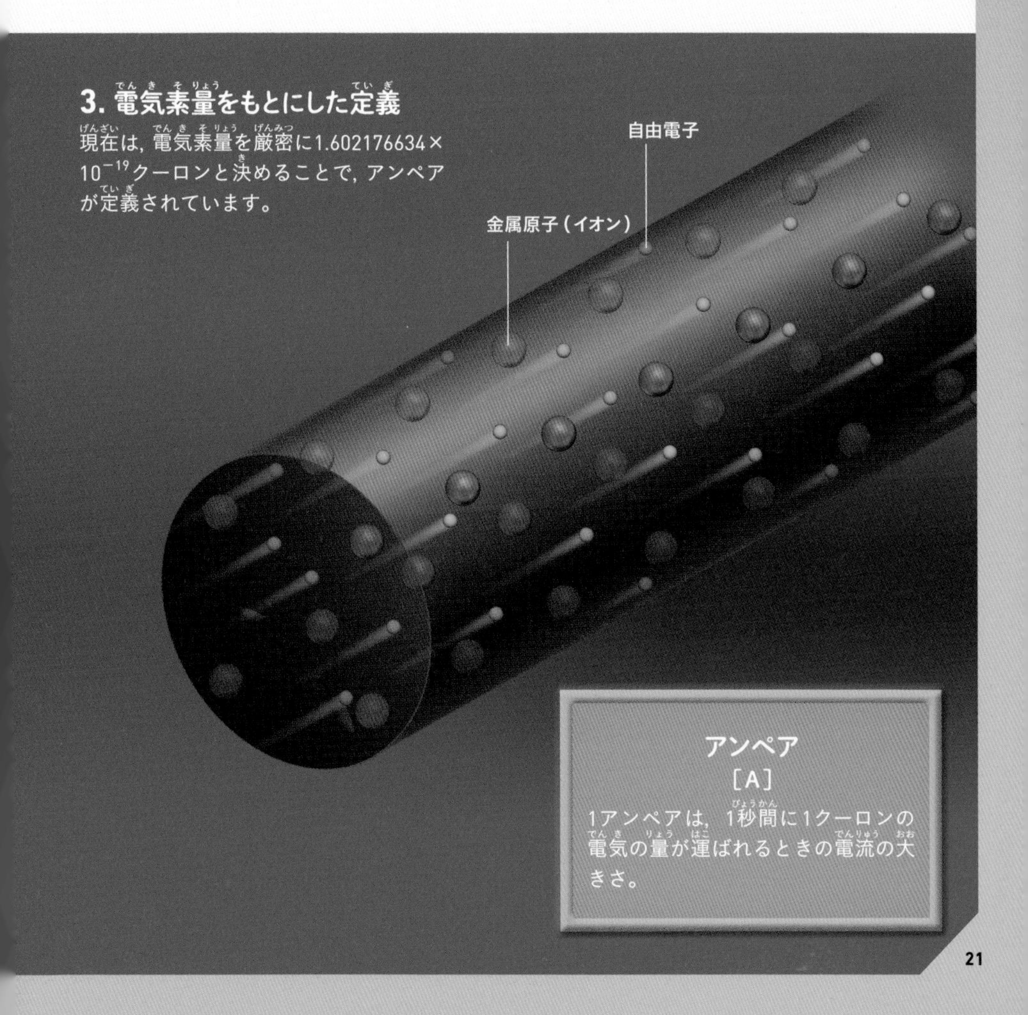

3. 電気素量をもとにした定義

現在は，電気素量を厳密に $1.602176634\times10^{-19}$ クーロンと決めることで，アンペアが定義されています。

世界共通で定められた「基本単位」

絶対温度をあらわす『ケルビン』

自然界の温度の下限を基準にした単位

五つ目の基本単位は，温度の「ケルビン（K）」です。

ケルビンは，自然界の温度の下限であるマイナス273.15℃（絶対零度）を基準にした温度（絶対温度）の単位です。1968年の国際度量衡総会で，ケルビンは「水の三重点における絶対温度の $\frac{1}{273.16}$ である」と定義されました。水の三重点とは，水蒸気と水と氷の三つの状態が共存する温度で，273.16K（0.01℃）と決められていました。しかしその後，三重点の温度は完全に一定ではないことがわかりました。

そこで2019年の国際度量衡総会で，ケルビンの定義は，「ボルツマン定数 k」を基準にすることが決まりました。ボルツマン定数 k は，分子1個がもつ運動エネルギーと温度を結びつける関係式に登場する定数で，**1.380649×10^{-23} J/K（ジュール毎ケルビン）と定められました。**

単原子分子[※1]の理想気体[※2]を考えた場合には，1ケルビンの温度変化は，「単原子分子1個の平均運動エネルギーに $\frac{3}{2} \times 1.380649 \times 10^{-23}$ ジュールの変化をもたらす温度変化」に等しくなります。

※1：1個の原子で構成されている分子。
※2：分子の大きさも分子どうしの相互作用もないとする仮想の気体。

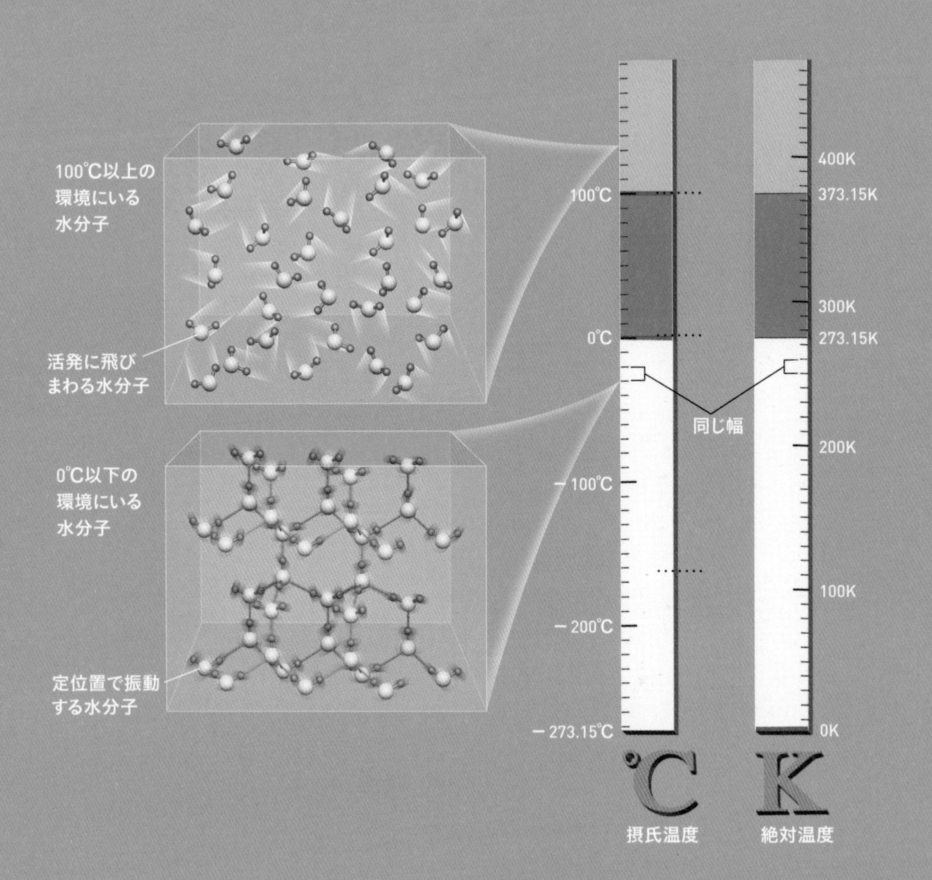

摂氏温度と絶対温度

摂氏温度の目盛り（左）と，絶対温度の目盛り（右）を比較しました。絶対零度は，摂氏温度ではマイナス273.15℃，絶対温度では0Kです。絶対零度になると，水分子の運動エネルギーはゼロになり，動きを止めると考えられます。

ケルビン
［K］

1ケルビンは，単原子分子1個の平均運動エネルギーに $\frac{3}{2} \times 1.380649 \times 10^{-23}$ ジュールの熱エネルギーの変化をもたらす温度変化。

世界共通で定められた「基本単位」

『モル』は，膨大な粒子の数をあらわすもの

分子や原子の数をシンプルにあらわす単位

六つ目の基本単位は，物質量の「モル（mol）」です。

モルは，原子や分子などの膨大な粒子の数をあらわすための単位です。1971年，国際度量衡総会は，1モルは12グラムの炭素12（^{12}C）の中に存在する原子の数と等しい数と決めました。12グラムの炭素12の中に存在する原子の数は，約6.02×10^{23}個です。つまり，約6.02×10^{23}個の粒子が，1モルとなったのです。しかしこの定義では，1モルの粒子の数が正確にはわかりません。

2019年の国際度量衡総会で，1モルの粒子の数（アボガドロ数，128ページ）を，厳密に$6.02214076 \times 10^{23} mol^{-1}$と定めて，モルを定義することになりました。

この結果，「1モルは，粒子$6.02214076 \times 10^{23}$個」と決まりました。**1ダースが12個であるように，1モルは$6.02214076 \times 10^{23}$個と決まったのです。**

「1モル」って，どのくらい？

1モル，つまり「約6.02×10^{23}」個の分子や原子を集めると，それぞれどのくらいの量になるかをえがきました。

アルミニウム（Al）なら27グラム

アルミホイル（アルミ箔）は，ほぼアルミニウムの単体です。家庭用のアルミホイルでは，およそ4メートル分が27グラムです。

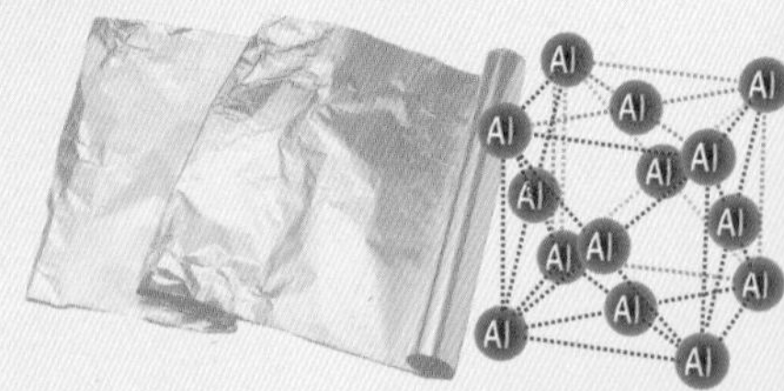

アルミニウムの結晶構造

木炭なら12グラム

木炭は，炭素に微量の含有物がまざったものです。

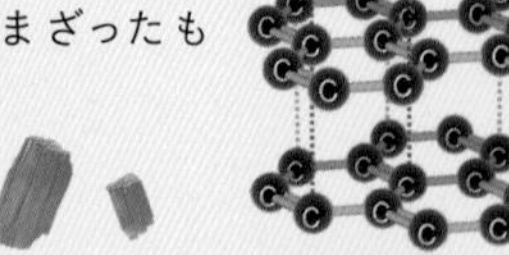

炭素（黒鉛）の結晶構造

塩の結晶構造

塩（NaCl）なら 58.5 グラム

みそ汁50杯分の塩分にあたります。

水（H_2O）なら 18 グラム

料理用の大さじ1杯と小さじ5分の3杯の水が18グラムです。

メタンの
分子構造

気体は約22.4リットル

上の図は都市ガスの主成分であるメタン（CH_4）です。気体分子1モルは，0℃，大気圧（1気圧）で，およそ22.4リットル。直径約35センチメートルのボールの体積と同じです。

注：これは，理想的な気体の場合です。実際には，1モルの気体の体積が22.4リットルからずれる気体分子もあります。

モル

［mol］

物質1モルが含む粒子数は，
$6.02214076 \times 10^{23}$個。

世界共通で定められた「基本単位」

『カンデラ』は，光の明るさをあらわす指標

1カンデラは，緑色の光のエネルギーが基準

七つ目の基本単位は「カンデラ(cd)」。光源の明るさをあらわす，光度の単位です。

かつて光度の単位は，不安定なロウソクやガス灯の明るさを基準にしていました。このため，1948年の国際度量衡総会で，物体の温度から理論的に明るさをみちびくことができる「黒体放射※1」を利用した世界共通の光度の単位「カンデラ」が定められました。

1979年の国際度量衡総会で，カンデラの定義は，「光が運ぶ単位時間あたりの放射エネルギー（単位はワット[W]※2）」にもとづくものになり，1カンデラは，「周波数540×10^{12}ヘルツ（Hz）の光を放出し，所定の方向におけるその放射強度が$\frac{1}{683}$ワット毎ステラジアン（w/sr）※3である光源の，その方向における光度」と定義されました。

この定義は，人の視覚が感じる“明るさの刺激”の大きさを考慮したものになっています。人の目で最も感度よくとらえられる緑色の光を放射する光源から，ある時間内に，ある広がり角の中に放射される光のエネルギーの大きさをもとに定義されているのです。

※1：黒体とは，すべての波長の放射を完全に吸収する仮想の物体。黒体放射とは，白金の凝固点の温度（1772℃）にある黒体からの放射のこと。
※2：仕事の能率をあらわす単位（36ページ）。
※3：ステラジアンは，立体角の単位（42ページ）。

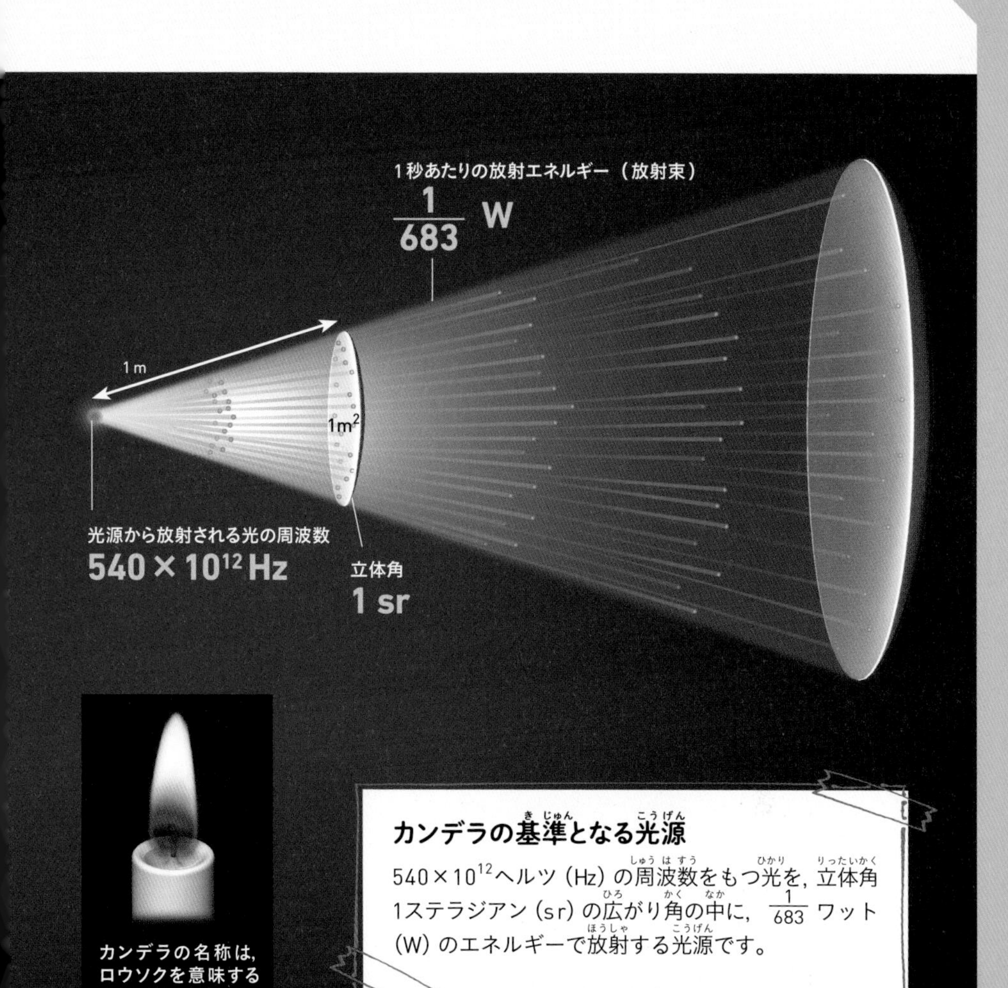

カンデラの名称は，ロウソクを意味するラテン語に由来する。

カンデラ
［cd］

1カンデラは，540×10^{12}ヘルツの周波数をもつ光を，$\frac{1}{683}$ ワット毎ステラジアンの放射強度で放射する光源の光度。

Column

コーヒーブレーク

メガやギガってどんな意味？

国際単位系では，長さの基本単位は「メートル(m)」，質量は「キログラム(kg)」とされています。しかし実際には，これらの単位よりもはるかに大きい値，または小さい値を測定することもあるでしょう。**そのような量は，国際単位系に接頭語をつけてあらわさ**

乗数	名称	記号	和名	数
10^{1}	デカ	da	十	10
10^{2}	ヘクト	h	百	100
10^{3}	キロ	k	千	1 000
10^{6}	メガ	M	百万	1 000 000
10^{9}	ギガ	G	十億	1 000 000 000
10^{12}	テラ	T	兆	1 000 000 000 000
10^{15}	ペタ	P	千兆	1 000 000 000 000 000
10^{18}	エクサ	E	百京	1 000 000 000 000 000 000
10^{21}	ゼタ	Z	十垓	1 000 000 000 000 000 000 000
10^{24}	ヨタ	Y	秭	1 000 000 000 000 000 000 000 000

れます。

たとえば，1000メートル（10^3メートル）をあらわすときは，mに接頭語の「キロ（k）」をつけた「キロメートル（km）」を単位として使い，1キロメートル（km）とあらわします。

最近では，コンピューターやスマートフォンの記憶容量をあらわす大きな数値として「メガ（M）」や「ギガ（G）」，さらには「テラ（T）」といったものを耳にするようになりました。あるいは，極小の世界の数値として「マイクロ（μ）」や「ナノ（n）」，「ピコ（p）」といったものも使われるようになってきました。

乗数	名称	記号	和名	数
10^{-1}	デシ	d	分	0.1
10^{-2}	センチ	c	厘	0.01
10^{-3}	ミリ	m	毛	0.001
10^{-6}	マイクロ	μ	微	0.000 001
10^{-9}	ナノ	n	塵	0.000 000 001
10^{-12}	ピコ	p	漠	0.000 000 000 001
10^{-15}	フェムト	f	須臾	0.000 000 000 000 001
10^{-18}	アト	a	刹那	0.000 000 000 000 000 001
10^{-21}	セプト	z	清浄	0.000 000 000 000 000 000 001
10^{-24}	ヨクト	y	涅槃寂静	0.000 000 000 000 000 000 000 001

2

基本単位を組み合わせた『組立単位』

ラジオの周波数をあらわす「ヘルツ」，電球に表示されている「ワット」……。私たちになじみの深いこれらの単位は七つの基本単位を組み合わせてつくられており，「組立単位」とよばれています。2章では，独自の名称をもつ組立単位を紹介します。

基本単位を組み合わせた「組立単位」

『ヘルツ』は，波が1秒間に波打つ回数

周波数が高いほど，まっすぐ進みやすい

周波数は「波の振動する速さ」をあらわす

波の基本要素を下にえがきました。波の特徴をあらわすときに最もよく使われるのが，周波数と波長です。周波数と波長をかけ合わせると，「波の速さ」を求められます。周波数や波長であらわされる波打ち方によって，波の性質は変わってきます。

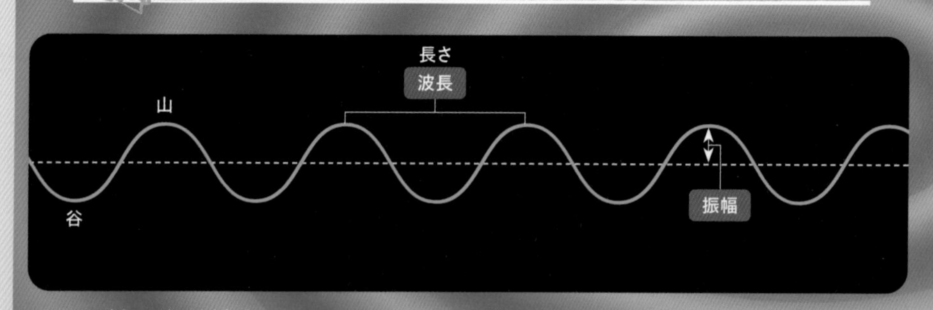

波の基本要素

周期	波の各点が1回振動するのに要する時間のこと。ある点を波の山が通過して，次の山が同じ点に到達するまでに要する時間ともいえる。周波数とは逆数の関係にある（周期＝1÷周波数）。
波長	波の山（最も高い場所）と山の間の長さ。谷（最も低い場所）と谷の間の長さともいえる。
振幅	波の振動の振れ幅。
周波数	「振動数」ともいう。1秒あたりに波の各点が振動する回数のこと。ある点を1秒あたりに通過する波の山の個数，ともいえる。

周波数の単位「ヘルツ(Hz)」は，波が1秒間に波打つ回数をあらわす単位です。

さまざまな波の性質は，波の波打ち方にあらわれています。波は，最も高くなる山と，最も低くなる谷を，くりかえしながら進みます。この波の波打つ速さを，1秒間に波打つ回数であらわしたものが，周波数です。ヘルツは，1960年の国際度量衡総会で，国際的な周波数の単位として認定されました。

私たちのまわりには，水の波や音波，電磁波など，さまざまな波があふれています。電磁波には，可視光線をはじめとして，周波数のことなるさまざまな波があります。

電磁波は，周波数が高いほど(波長が短いほど)，広がらずにまっすぐ進みやすく，エネルギーが高いという性質があります。 この性質に応じて，私たちはそれぞれの電磁波を，通信や放送，リモコン，レントゲン装置などに利用しているのです。

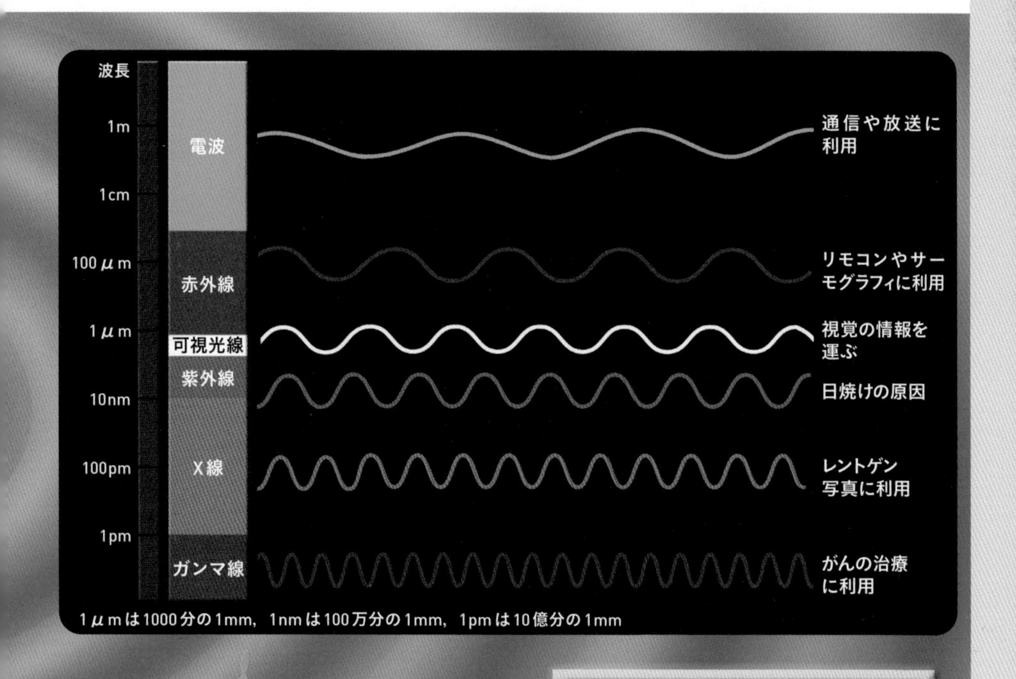

さまざまな波長をもつ，電磁波の仲間

X線や紫外線，電波などは，すべて「電磁波」とよばれる波の仲間です。ただし，それぞれの波長は大きくことなります。

ヘルツ

[Hz]

1ヘルツは，1秒あたりの振動の回数。

基本単位を組み合わせた「組立単位」

エネルギーの単位「カロリー」と『ジュール』

あらゆるエネルギーの大きさをあらわすことができる

1カロリー（cal）

水1グラムの温度を1℃上げるエネルギー（熱量）。

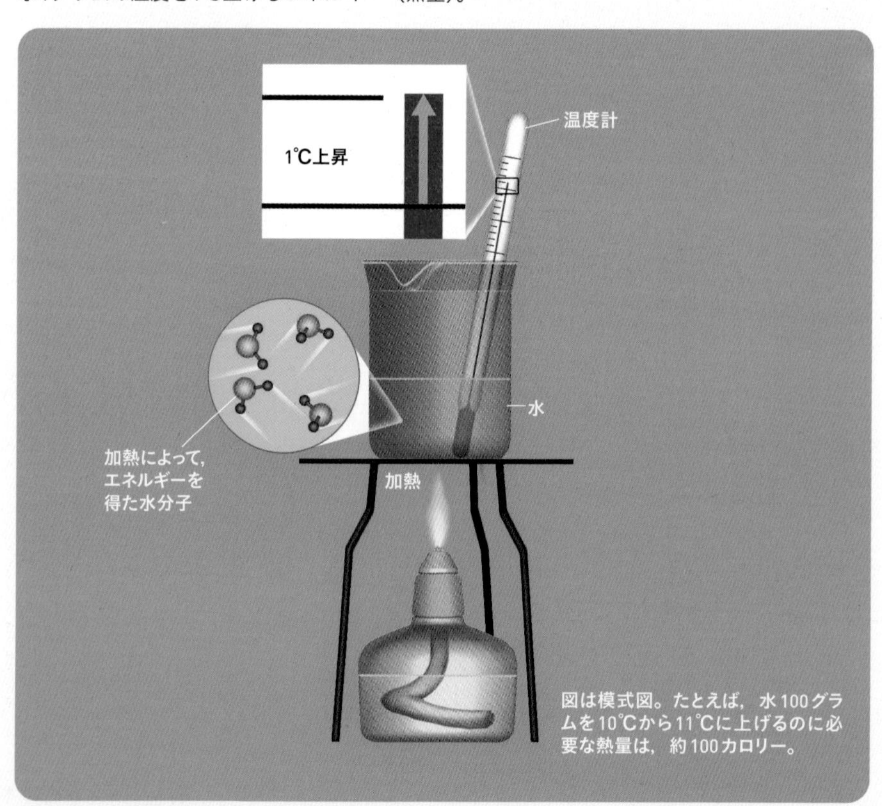

図は模式図。たとえば，水100グラムを10℃から11℃に上げるのに必要な熱量は，約100カロリー。

「カロリー(cal)」と「ジュール(J)」は，どちらもエネルギーの単位です。

カロリーは，最も身近な物質である，水を基準として定義された単位です。**1気圧のとき，水1グラムの温度を1℃上げるのに必要なエネルギーが，1カロリーです。**しかし，カロリーという単位には問題があります。同じ1カロリーでも，何℃の水を1℃上げるのかによって，必要なエネルギー量がことなるからです。

そこで，1948年の国際度量衡総会で，エネルギーの単位にはジュールを使うことが決定されました。

私たちが荷物を押して動かすときに使うエネルギーは，「力×距離」で計算することができます。**1ジュールは，1ニュートン(N)※の力で物体を1メートル押し動かすのに必要なエネルギーのことです。**

1ジュール(J)

1ニュートンの力で物を1メートル押し動かすのに必要なエネルギー（仕事量）。

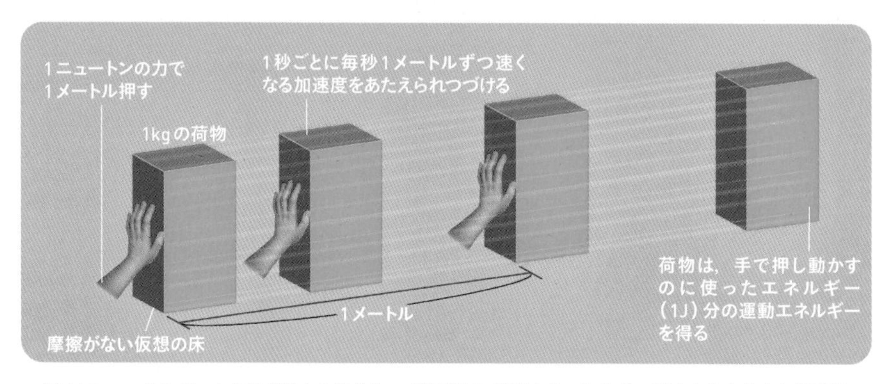

※：1ニュートンは，1キログラムの物体に，1秒ごとに秒速1メートルずつ速くなるような加速度をあたえる力（38ページ）。

カロリーとジュール

左ページに1カロリーの熱量，右ページに1ジュールの仕事量をえがきました。カロリーとジュールは換算でき，「1カロリー＝4.184ジュール」です。

カロリー，ジュール
［cal］　［J］

1カロリーは，1気圧のとき，水1グラムの温度を1℃上げるのに必要なエネルギー（熱量）。1ジュールは，1ニュートンの力で物を1メートル押し動かすのに必要なエネルギー。

基本単位を組み合わせた「組立単位」

仕事の能率をあらわす『ワット』

1秒間にどれだけ仕事をするかを示す

家電製品にしるされている「ワット（W）」は，仕事の能率※をあらわす単位です。**1ワットは，1秒間に1ジュールのエネルギーを消費する（仕事をする）ことをあらわします。**たとえば，100ワットの電球は，1秒間に100ジュールの電気エネルギーを光や熱エネルギーにかえます。

ワットの値に使用時間（秒）をかけ合わせると，消費するエネルギーの量をジュールの単位で求めることができます。たとえば，電子レンジを1000ワットで1分間（60秒）使うと，消費するエネルギーの量は1000×60で6万ジュール（60キロジュール）になります。

また，ワットの値に使用時間（時）をかけ合わせると，消費するエネルギーの量を「ワット時（Wh）」という単位で求めることができます。1ワット時は，1ワットの仕事率で1時間仕事をしたときに消費するエネルギーです。**各家庭の電気料金は，基本的にワット時の値によって決まります。**

※：物理学の言葉で「仕事率」といいます。

単位名の由来は，蒸気機関車の改良で有名な発明家の名前

単位名のワットは，スコットランドの発明家ジェームズ・ワット（1736～1819）にちなんでいます。ワットは，蒸気機関の性能を馬と比較して示すために「馬力」という単位をつくりました。馬力はメートル法とヤード・ポンド法（52ページ）でそれぞれ定義がことなります。日本では1馬力＝735.5ワットとし，自動車のエンジンの最高出力をあらわす指標などに使われています。

「ワット」は，電力の単位としても表示されている

仕事率の単位「ワット（W）」は，家庭で使用される電化製品にも電力の単位として表示されています。電力は，電圧（V）※×電流（A）で計算できます。電圧と電流が大きいほど，モーターを動かしたり加熱をしたりといった「仕事」をする能力が大きくなる一方，消費されるエネルギー（電力量）も多くなります。

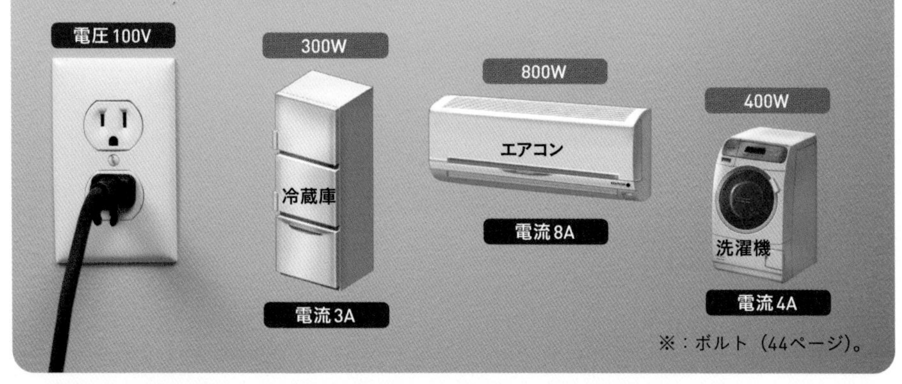

※：ボルト（44ページ）。

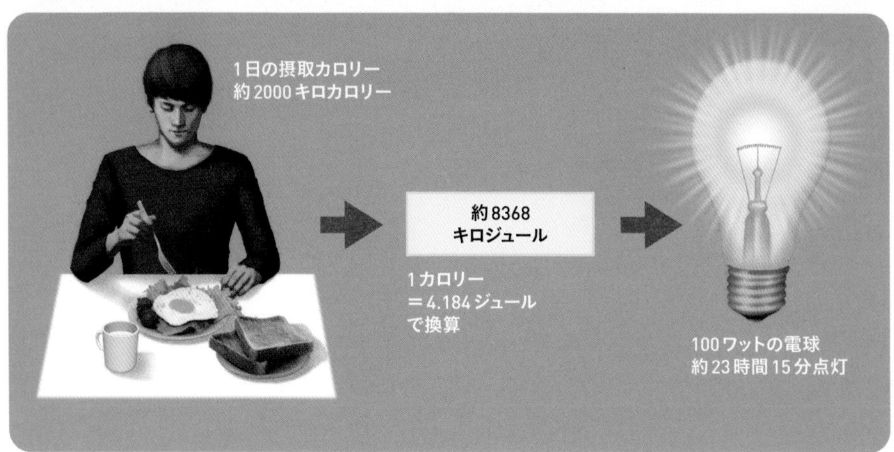

カロリー，ジュールとワット

人が1日に食べ物から摂取するエネルギーは，約2000キロカロリー（約8368キロジュール）です。これは，1秒間に100ジュールのエネルギーを消費する100ワットの電球を，ほぼ1日点灯する量に相当します（100ワットは，0.1キロワット。8368キロジュール÷0.1キロワット＝83680秒＝約23時間15分）。つまり，人と100ワットの電球の仕事率は，ほぼ同じなのです。

ワット
[W]

1ワットは，1秒間に1ジュールのエネルギーを消費する仕事率。

基本単位を組み合わせた「組立単位」

物体を加速させる力をあらわす『ニュートン』

力とは物体を動かしたり，変形させたりするもの

国際的な力の単位である「ニュートン（N）」は，1999年から日本で使われるようになりました。**1ニュートンは，「質量1キログラムの物体に，1秒あたり秒速1メートル（$1m/s^2$）の加速度を生じさせる力」と定義されています。**

物理学の世界で使う「力」とは，「物体を動かす（加速させる）もの」です。加える力が大きいほど，その物体は大きく動きます。これを「加速度が大きくなる」といい，力は加速度に比例します。

また，質量が大きいものを一定の加速度で動かすには，大きな力が必要です。つまり，物体の質量と，それを一定の加速度で動かすためにかかる力の大きさは比例するのです。

物体に加える力，物体の質量，物体に生じる加速度の関係をまとめると，「力＝質量×加速度」という式がなりたちます。この式は「運動方程式※」とよばれています。

力の大きさは，物体の質量と加速度に比例する

力とは，物体を動かす（加速させる）ものであり，動かす物体の質量と加速度に比例します（右上の式）。力の単位名「ニュートン」は，万有引力を発見したイギリスの天才科学者アイザック・ニュートン（1642〜1727）の名前に由来しています。

アイザック・ニュートン
（1642 〜 1727）

運動方程式

$$F = ma$$

力　質量　加速度

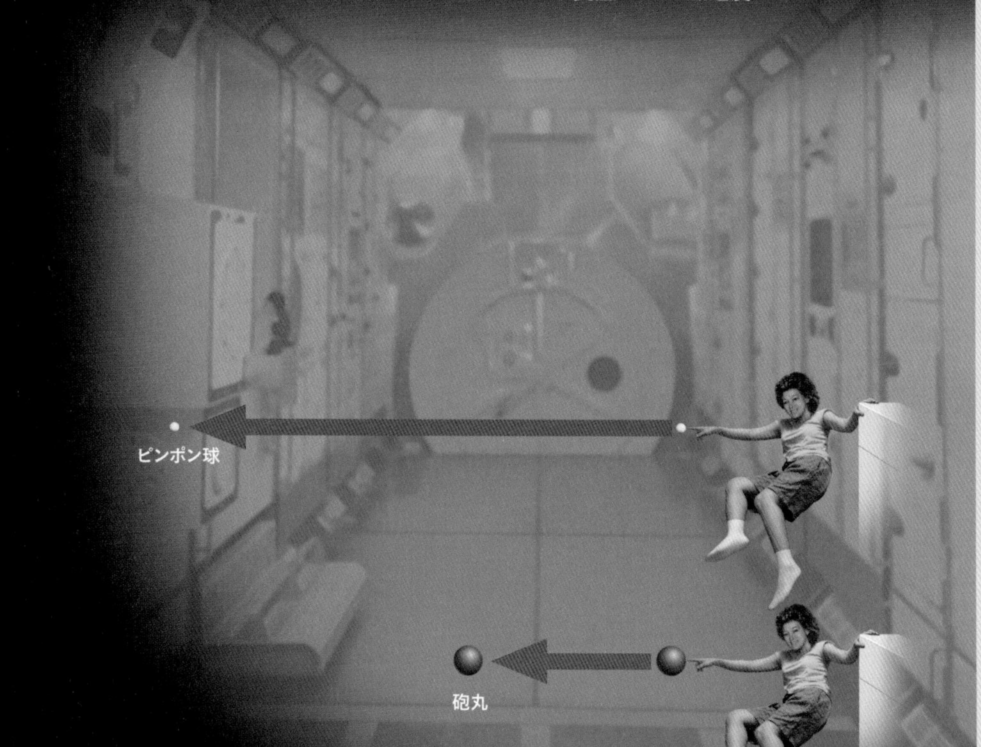

ピンポン球

砲丸

同じ力で押すと，質量の小さいピンポン球のほうが動かしやすい（加速度が大きい）

ニュートン

［N］

1ニュートンは，質量1キログラムの物体に1秒あたり秒速1メートルの加速度を生じさせる力。

※：ニュートン力学が土台にしている「運動の3法則」の一つ。くわしくは4章で説明します。

基本単位を組み合わせた「組立単位」

圧力の強さをあらわす『パスカル』

天気予報で耳にするのは ヘクトパスカル

圧力とは，単位面積あたりにかかる力の大きさをあらわしたものです。同じ力であれば，広い面積にかかるときよりも，せまい面積にかかったときのほうが圧力は大きくなります。底の広い靴で足を踏まれるのと，先の細いハイヒールで踏まれるのとでは，同じ力でも後者のほうが大きな圧力がかかって痛い思いをするでしょう。

国際単位系では，圧力の単位として「パスカル（Pa）」が使われています。**1パスカルは，1平方メートルの面に1ニュートンの力がかかっているときの圧力を意味します。気象情報でよく耳にする「ヘクトパスカル（hPa）」は，パスカルの100倍の大きさをあらわしています。**

圧力の単位も，力の単位と同じように，国内で切りかえがおきたのは最近のことです。現在でも，圧力は分野によって，ことなる単位を使ってあらわされることが多いようです。

上の天気図では，単位記号は省略されていますが，1028hPaの高気圧と1000hPaの低気圧がえがかれています（図は気象庁の速報天気図をもとに作成）。

パスカル

［Pa］

1パスカルは，面1平方メートルあたり1ニュートンの力がかかっているときの圧力。

基本単位を組み合わせた「組立単位」

角度の単位『ラジアン』と『ステラジアン』

角度には，平面的な角度と立体的な角度の2種類がある

平面角（ラジアン：rad）

半径 r の円の場合，円弧の長さを r とする扇形の中心角が1ラジアンです。中心角の大きさは，その中心角をもつ扇形の円弧に比例します。円周の中心角を考えてみると，円弧（円周）の長さ $2\pi r$ は r の 2π 倍なので，中心角は1ラジアン×2π＝2πラジアンとなります。

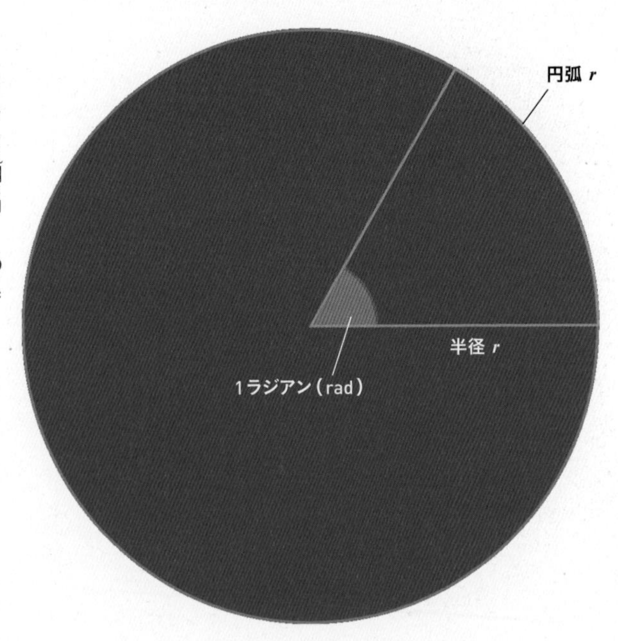

私たちはふだん，円1周の角度を360°とする「度数法」を使っています。しかし，三角関数を使って計算を行う場面では，度数法では不便が生じます。そこで利用されるのが「弧度法」です。

弧度法は，角度を「その角度を中心とする円弧の長さ」であらわす方法です。たとえば，360°を弧度法であらわすとします。中心角が360°ということは，円弧の長さは円周の長さと同じになるので，「2×半径×π※」で計算できます。半径が1なら円周の長さは2π，つまり360°は弧度法では「2π」となるのです。

このとき，角度の単位は「度」ではなく「ラジアン（rad）」を使います。円1周の角度は2πラジアンです。

ラジアンがあらわす角度は，平面的な角度（平面角）です（左ページの図）。これに対して，球における頂点の開きぐあいをあらわす立体的な角度を考えることもできます。**この角度を「立体角」といい，「ステラジアン（sr）」という単位が使われます**（右ページの図）。

※：πは円周率で，π＝3.14……です。

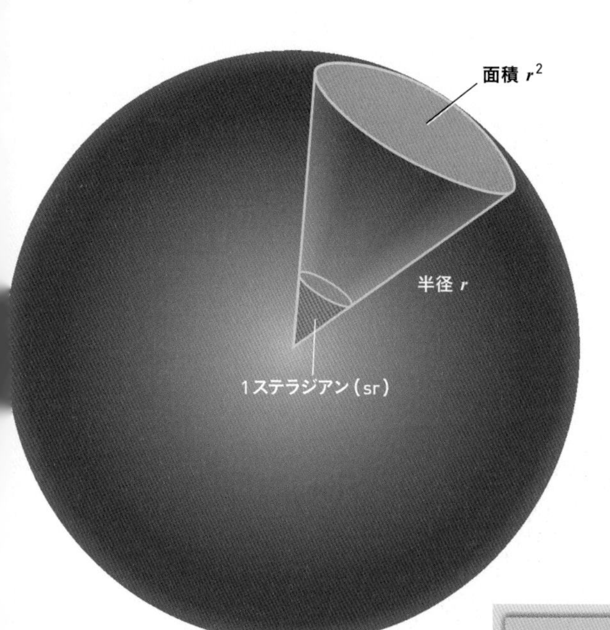

立体角（ステラジアン：sr）

球の表面に図形をえがき，球の中心とこの図形からなる錐を考えます。半径 r の球の場合，表面の図形の面積が r^2 となるような錐の頂点の角度（立体角）が1ステラジアンです。立体角の大きさは，球の表面にえがいた図形の面積に比例します。中心から見た球全体の立体角を考えてみると，球全体の表面積 $4\pi r^2$ は，r^2 の 4π 倍なので，立体角は1ステラジアン×4π＝4πステラジアンとなります。

ラジアン，ステラジアン
［rad］　［sr］

半径 r の円の場合，円弧の長さを r とする扇形の中心角が1ラジアン。半径 r の球の場合，表面の図形の面積が r^2 となるような錐の頂点の角度（立体角）が1ステラジアン。

基本単位を組み合わせた「組立単位」

電流を押し流す作用を示す『ボルト』

電圧は，電流が流れる“坂道”の高低差をあらわす

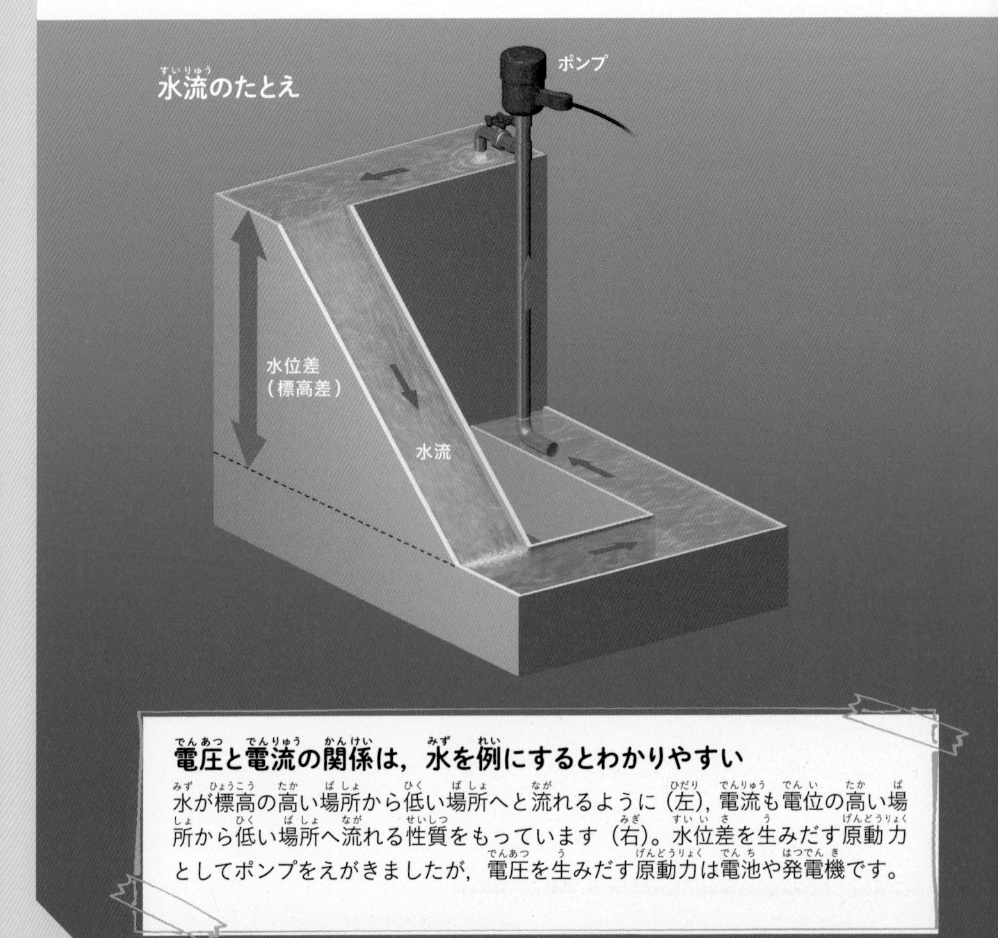

電圧と電流の関係は，水を例にするとわかりやすい

水が標高の高い場所から低い場所へと流れるように（左），電流も電位の高い場所から低い場所へ流れる性質をもっています（右）。水位差を生みだす原動力としてポンプをえがきましたが，電圧を生みだす原動力は電池や発電機です。

川の水は，必ず高い場所から低い場所に流れていきます。電気も同じです。しかし，電気の流れる方向を決める高さは，標高ではなく「電位」の高さです。

電位とは，回路の位置によってもたらされるエネルギーで，プラス極に近いほど高くなります。**ある地点とある地点の電位の差を「電圧」とよび，その単位が「ボルト(V)」です。1ボルトは，1アンペアの電流が流れる導線の消費電力が1ワットのときの，導線の両端の電位差です。**

電圧は，電流の通り道を坂道にするようなものです。電圧が高い（電位差が大きい）ほど，電流は強く押し流されます。この電圧を生みだしているものこそが，電池や発電機です。電池のプラス極とマイナス極では，プラス極のほうが電位が高くなります。このため，電池のプラス極とマイナス極を回路でつなぐと，電位の高いプラス極から電位の低いマイナス極へと電流が流れるのです。

電圧のイメージ

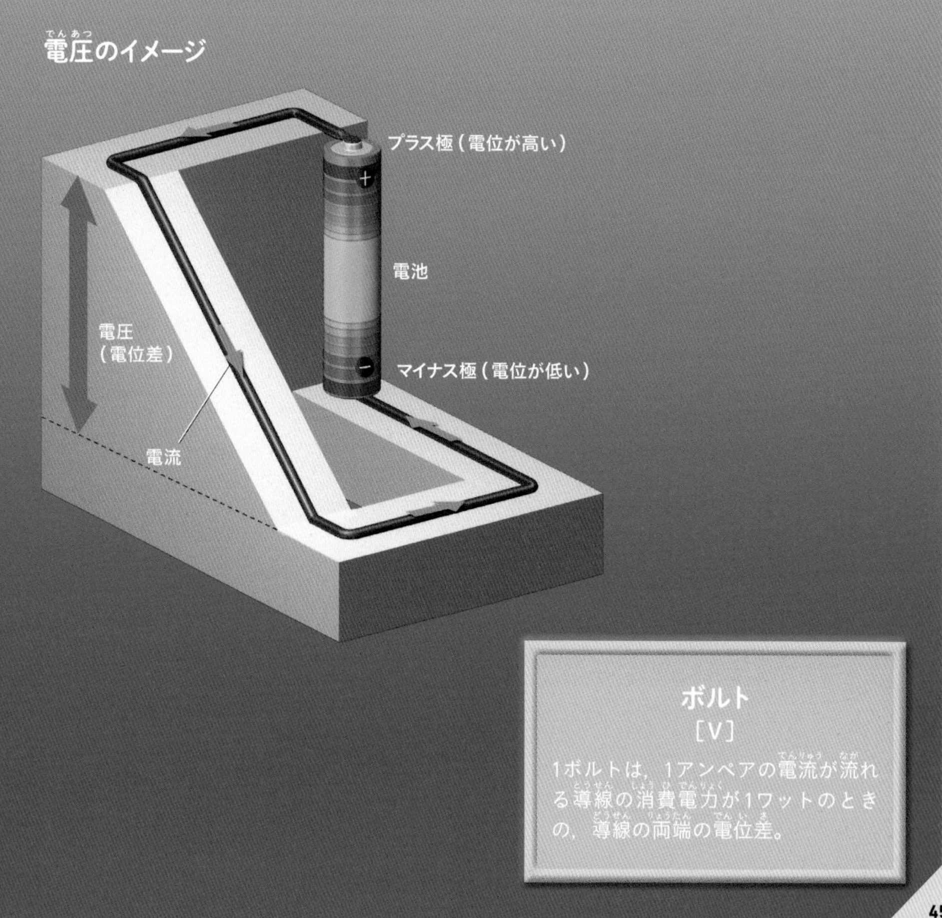

基本単位を組み合わせた「組立単位」

電流の流れにくさをあらわす『オーム』

オームの逆数,「ジーメンス」は電流の流れやすさをあらわす

「オーム(Ω)」は,電気の流れにくさをあらわす単位です。

導線の金属原子はたえず振動しており,温度が高くなればなるほどはげしく振動します。金属原子が動くことで,自由電子はスムーズな移動をさまたげられます。この際,自由電子がもっていた移動用のエネルギーの一部が,金属原子が振動するエネルギーに使われてしまいます。これが電気の流れにくさを生みだす原因です。

電気の流れにくさを「電気抵抗」といいます。1オームは,「1アンペアの直流の電流が流れる導体の2点間の電圧が,1ボルトであるときの2点間の電気抵抗」というように,電流と電圧を使って定義されています。

電気抵抗とは逆に,電気の流れやすさをあらわす単位に「ジーメンス(S)」があります。電気の流れやすさは「コンダクタンス」といい,その値は電気抵抗の逆数です。

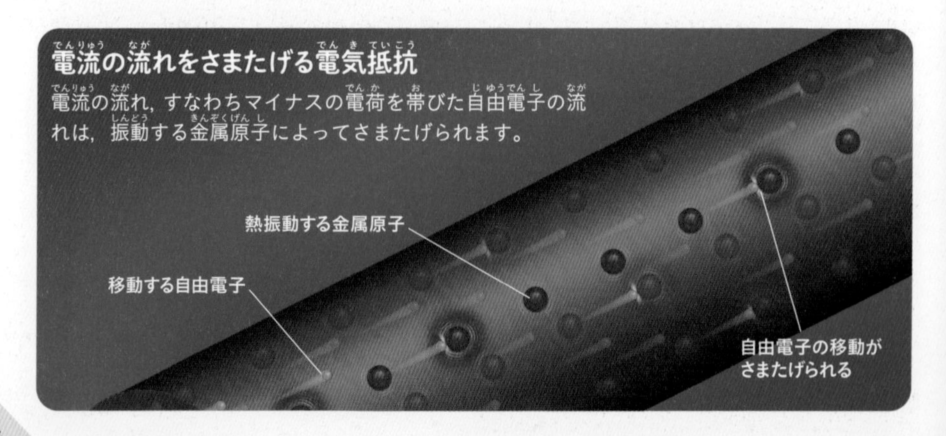

電流の流れをさまたげる電気抵抗

電流の流れ,すなわちマイナスの電荷を帯びた自由電子の流れは,振動する金属原子によってさまたげられます。

送電に使う導線の長さや太さ，材質によって，電気抵抗は変わる

同じ素材，同じ太さの電線で比較した場合，失われる電力は，電線が長いほど多くなります。つまり，遠くの発電所から送電することは，送電ロスの観点からは，よくないのです。また，電線が太いほど失われる電力は少なくなりますが，電線を太くすると送電網をつくるコストが高くなります。

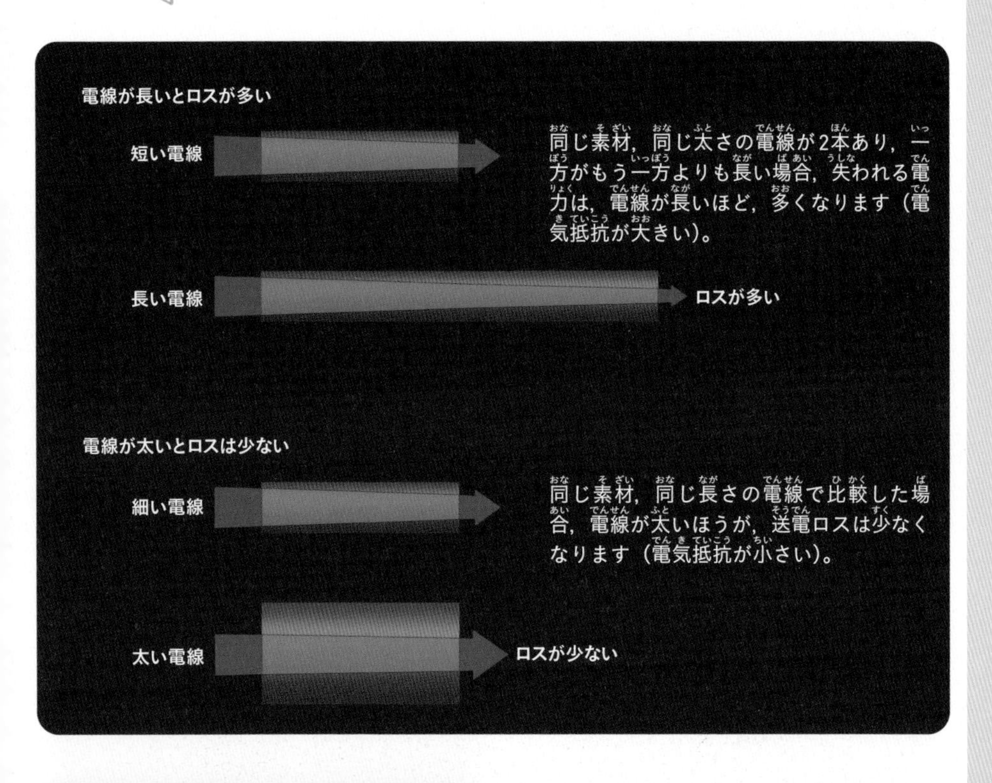

同じ素材，同じ太さの電線が2本あり，一方がもう一方よりも長い場合，失われる電力は，電線が長いほど，多くなります（電気抵抗が大きい）。

同じ素材，同じ長さの電線で比較した場合，電線が太いほうが，送電ロスは少なくなります（電気抵抗が小さい）。

オーム，ジーメンス
［Ω］　［S］

1オームは，1アンペアの直流電流が流れている導体内のある2点間の電圧が1ボルトであるときの，その2点間の電気抵抗。電気抵抗の逆数をコンダクタンスといい，その単位がジーメンス（オームの逆数）。

基本単位を組み合わせた「組立単位」

磁束の強さと密度を示す『ウェーバ』と『テスラ』

砂鉄は磁力線に沿って並び，磁力線の束を「磁束」という

磁石と砂鉄がつくる磁力線

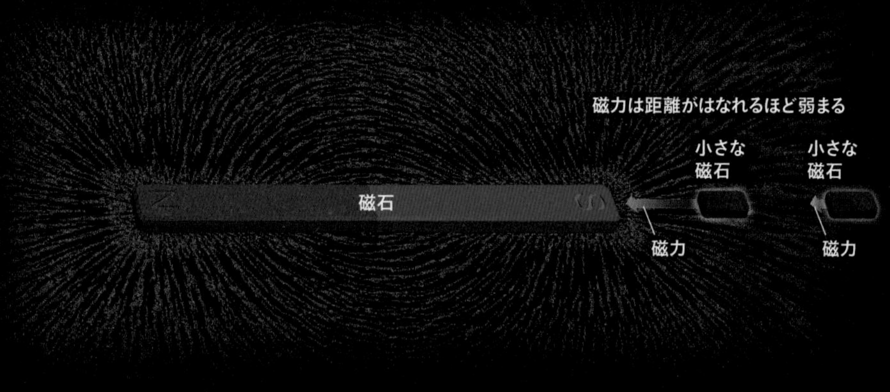

磁力は距離がはなれるほど弱まる

小さな磁石

小さな磁石

磁石

S

磁力

磁力

磁力の強さは，磁束であらわされる

磁石のまわりにまいた砂鉄は，磁力線に沿って模様をつくります。磁力線が密集してえがかれるところは，磁力が強くはたらいているところです。磁力線は束としてとらえられ，「磁束」とよばれます。この磁束の密度により，ある地点にはたらいている磁界の大きさを知ることができるのです。

磁石が引き合ったり反発し合ったりする力である「磁力」についても，さまざまな単位があります。

　磁石のまわりに砂鉄をまいて，模様をつくった経験はないでしょうか。砂鉄は，「磁力線」に沿って並びます。磁力線は，磁力のはたらく磁場（磁界）の向きをあらわしており，N極から出てS極に入ります。**この磁力線の束を，「磁束」といいます。**

　磁束の強さをあらわす単位は，「ウェーバ（Wb）」です。1ウェーバは，1秒間でその磁束を0にするとき，1ボルトの電圧を発生させる磁束と定義されています。磁束を変化させたときに電圧が発生する現象が，「電磁誘導」です。

　一方，磁束の密度をあらわす単位が，「テスラ（T）」です。1テスラは，磁束に垂直な面1平方メートル（m^2）あたり1ウェーバの磁束密度と定義されています。磁束密度（T）＝磁束（Wb）÷面積（m^2）という関係です。

磁石がつくる磁力線の模式図

磁力線の向きは，N極から出てS極に入るよう，決められています。

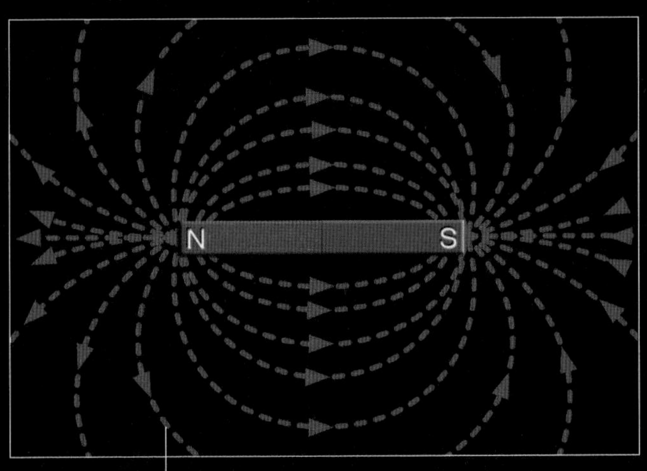

ウェーバ，テスラ
［Wb］　［T］

1ウェーバは，1秒間で磁束を0にするとき，1ボルトの起電力（一定の電圧）を発生させる磁束。1テスラは，磁束の方向に垂直な面1平方メートルあたり1ウェーバである磁束密度。

基本単位を組み合わせた「組立単位」

光の量を示す『ルーメン』，明るさを示す『ルクス』

照度は，光源からの距離の2乗に反比例して暗くなる

蛍光灯には，「2000lm」のような表示がみられることがあります。lmは「ルーメン」という単位です。

カンデラ（26ページ）がある方向へ向かう光の強さ（光度）をあらわすのに対し，ルーメンは光源が出す光の全体の量（光束）をあらわします。**「1カンデラの光度をもつ光源が，1ステラジアンの立体角内に放射する光束」の量を1ルーメンと定義します。**

同じ明るさの光源で物体を照らしても，光源に近いほど物体は明るく見え，遠いほど暗くなります。ある面に光が当たったときの面の明るさは「照度」とよばれ，その単位は「ルクス（lx）」です。**1ルクスは，「1平方メートルの面が，1ルーメンの光束で一様に照らされるときの照度」をさします。**

照度と光度の間には，「面に垂直に光を当てたとき，照度は，光源からの距離の2乗に反比例して暗くなる」という法則がなりたっています。

遠くなるほど暗くなる

光度と照度の関係を下の囲みに示しました。光源の強さはどちらも同じです。光源からの距離が2倍になると，光が当たる面積はその2乗分，つまり2^2で4倍になります。そのため，その面での単位面積あたりの明るさは4分の1になります。この法則は，天体までの距離を求めるときなどに使われています。

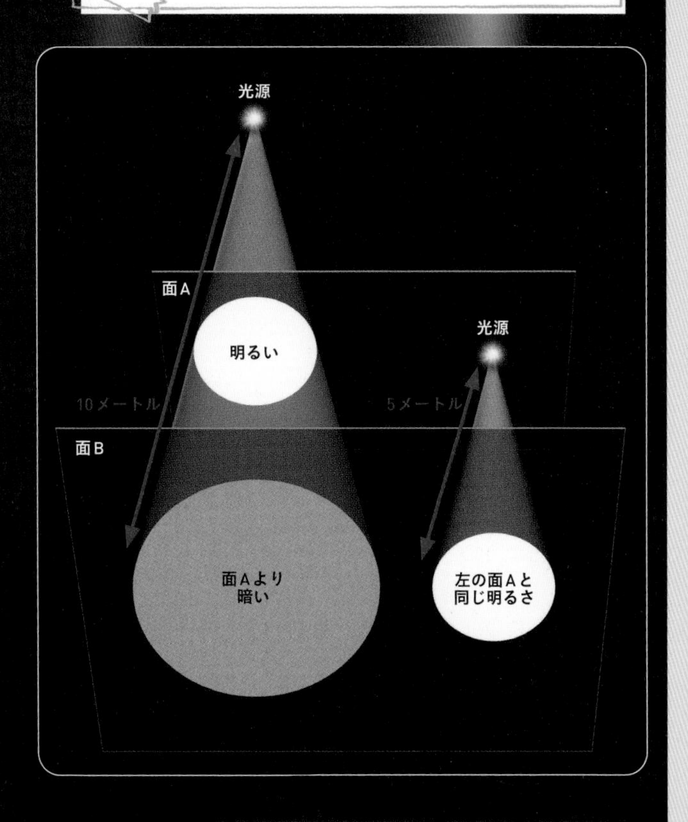

照度	ルクス

ルーメン，ルクス

［lm］　［lx］

1ルーメンは，1カンデラの光源から1ステラジアン内に放射される光束。1ルクスは，1平方メートルの面が1ルーメンの光束で一様に照らされるときの照度。

Column

コーヒーブレーク

科学者の名前がついた組立単位

ここまで，七つの基本単位を組み合わせてできる組立単位をよりすぐって紹介しました。どれも固有の名前がついており，その由来の多くが，関係の深い科学者にあります。

固有の名前がついている組立単位は，全部で22種類あります（右の表）。

さらに組立単位には，とくに固有の名前のついていない組立単位が，数えきれないほどたくさんあります。たとえば，面積の単位である平方メートル（m^2）や，体積の単位である立方メートル（m^3），速さの単位であるメートル毎秒（m/s）などです。

これらの無数にある組立単位は，いずれも国際的に共通な，国際単位系（SI単位系）の単位です。単位の統一は，ありとあらゆる場面で，私たちの生活を便利にしているのです。

なお，単位系にはほかにも複数あり，アメリカではいまだに「ヤード・ポンド法」が主流です。

さまざまな単位系

単位系	内容
メートル法	長さの基本単位をm，質量の基本単位をkgとした単位法。
CGS単位系	長さの基本単位をcm，質量の基本単位をg，時間の基本単位を秒とした単位法。
国際単位系（SI）	メートル法による単位をもとに，計量単位の国際的統一を目的として，編成された単位系。7個の基本単位と2個の補助単位からなる。
ヤード・ポンド法	長さの基本単位をヤード，質量の基本単位をポンド，時間の基本単位を秒とした単位法。
MKSA単位系	長さの基本単位をm，質量の基本単位をkg，時間の基本単位を秒としたMKS単位系に，電流の基本単位（アンペア）が追加された単位法。

組立量	組立単位の名称	名称の由来となった人名	単位記号	基本単位のみによる表現	ほかのSI単位を用いた表現
平面角	ラジアン		rad	m/m	
立体角	ステラジアン		sr	m^2/m^2	
周波数	ヘルツ	ハインリヒ・ヘルツ（1857～1894，ドイツ）	Hz	s^{-1}	
力	ニュートン	アイザック・ニュートン（1642～1727，イギリス）	N	$kg \cdot m \cdot s^{-2}$	
圧力，応力	パスカル	ブレーズ・パスカル（1623～1662，フランス）	Pa	$kg \cdot m^{-1} \cdot s^{-2}$	N/m^2
エネルギー，仕事，熱量	ジュール	ジェームズ・プレスコット・ジュール（1818～1889，イギリス）	J	$kg \cdot m^2 \cdot s^{-2}$	$N \cdot m$
仕事率，放射束	ワット	ジェームズ・ワット（1736～1819，イギリス）	W	$kg \cdot m^2 \cdot s^{-3}$	J/s
電荷，電気量	クーロン	シャルル・ド・クーロン（1736～1806，フランス）	C	$A \cdot s$	
電位差，電圧，起電力	ボルト	アレッサンドロ・ボルタ（1745～1827，イタリア）	V	$kg \cdot m^2 \cdot s^{-3} \cdot A^{-1}$	W/A
静電容量	ファラド	マイケル・ファラデー（1791～1867，イギリス）	F	$kg^{-1} \cdot m^{-2} \cdot s^4 \cdot A^2$	C/V
電気抵抗	オーム	ゲオルク・ジーモン・オーム（1789～1854，ドイツ）	Ω	$kg \cdot m^2 \cdot s^{-3} \cdot A^{-2}$	V/A
コンダクタンス	ジーメンス	ヴェルナー・フォン・ジーメンス（1816～1892，ドイツ）	S	$kg^{-1} \cdot m^{-2} \cdot s^3 \cdot A^2$	A/V
磁束	ウェーバ	ヴィルヘルム・エドゥアルト・ヴェーバー（1804～1891，ドイツ）	Wb	$kg \cdot m^2 \cdot s^{-2} \cdot A^{-1}$	$V \cdot s$
磁束密度	テスラ	ニコラ・テスラ（1856～1943，クロアチア，アメリカ）	T	$kg \cdot s^{-2} \cdot A^{-1}$	Wb/m^2
インダクタンス	ヘンリー	ジョセフ・ヘンリー（1797～1878，アメリカ）	H	$kg \cdot m^2 \cdot s^{-2} \cdot A^{-2}$	Wb/A
セルシウス温度	セルシウス度	アンデルス・セルシウス（1701～1744，スウェーデン）	℃	K	
光束	ルーメン		lm		$cd \cdot sr$
照度	ルクス		lx		$cd \cdot sr \cdot m^{-2}$，lm/m^2
放射性核種の放射能	ベクレル	アントワーヌ・アンリ・ベクレル（1852～1908，フランス）	Bq	s^{-1}	
吸収線量，カーマ	グレイ	ルイス・ハロルド・グレイ（1905～1965，イギリス）	Gy	$m^2 \cdot s^{-2}$	J/kg
線量当量	シーベルト	ロルフ・マキシミリアン・シーベルト（1896～1966，スウェーデン）	Sv	$m^2 \cdot s^{-2}$	J/kg
酵素活性	カタール		kat	$mol \cdot s^{-1}$	

表は国立研究開発法人産業技術総合研究所・計量標準総合センターの資料などを参考に作成

3

国際単位ではない「特殊な単位」

1章と2章では，世界的に推奨されている国際単位系を紹介しました。しかし，私たちになじみの深い単位には，「震度」「ビット」「pH」など，国際単位系ではないものが多々あります。3章では，使い道の限定された特殊な単位をみてみましょう。

Newton
01001110 01100101 01110111 01110100 01101111 01101110
1byte 1byte 1byte 1byte 1byte 1byte
6バイト

地震のときに使われる『震度』と『マグニチュード』

震度は「ゆれ」をあらわし，マグニチュードは「規模」をあらわす

震度階級

震度	状況
0	人はゆれを感じない。
1	屋内で静かにしている人の中には，ゆれをわずかに感じる人がいる。
2	屋内で静かにしている人の大半が，ゆれを感じる。
3	屋内にいる人のほとんどが，ゆれを感じる。
4	ほとんどの人がおどろく。電灯などのつり下げ物は大きくゆれる。すわりの悪い置き物が倒れることがある。
5弱	大半の人が，恐怖をおぼえ，ものにつかまりたいと感じる。棚にある食器類や本が落ちることがある。固定していない家具が移動することがあり，不安定なものは倒れることがある。
5強	ものにつかまらないと歩くことがむずかしい。棚にある食器類や本で落ちるものが多くなる。固定していない家具が倒れることがある。補強されていないブロック塀がくずれることがある。
6弱	立っていることが困難になる。固定していない家具の大半が移動し，倒れるものもある。ドアが開かなくなることがある。壁のタイルや窓ガラスが破損，落下することがある。耐震性の低い木造建物は，瓦が落下したり，建物が傾いたりすることがある。倒れるものもある。
6強	はわないと動くことができない。飛ばされることもある。固定していない家具のほとんどが移動し，倒れるものが多くなる。耐震性の低い木造建物は，傾くものや，倒れるものが多くなる。大きな地割れが生じたり，大規模な地すべりや山体の崩壊が発生することがある。
7	耐震性の低い木造建物は，傾くものや，倒れるものがさらに多くなる。耐震性の高い木造建物でも，まれに傾くことがある。耐震性の低い鉄筋コンクリート造の建物では，倒れるものが多くなる。

この震度階級は日本独自の指標で，海外では「改正メルカリ震度階級」など別の震度階級が採用されています。

「震度」と「マグニチュード（M）」は，地震のときに使用される単位です。

震度は，各地でどれくらいゆれたかをあらわす階級で，合計10階級あります。かつて震度は，人が体感で決めていました。1996年からは，地震計の計測結果をもとに震度が計算されています。地震のゆれは，地盤の状況などで変わるため，ごく近い場所でも1階級くらいちがうことがあります。

マグニチュードは，地震の規模をあらわす尺度です。地震計の最大振幅や，地震波形の記録から計算されます。

現在，マグニチュードの中で最も標準的とされているのは，「モーメントマグニチュード（Mw）」です。岩盤がどれくらいの範囲でどれくらいずれたかを推定して算出されるため，地震の規模を正確にあらわすとされています。

これに対して日本では，独自の手法で計算されてきた，「気象庁マグニチュード」が採用されています。

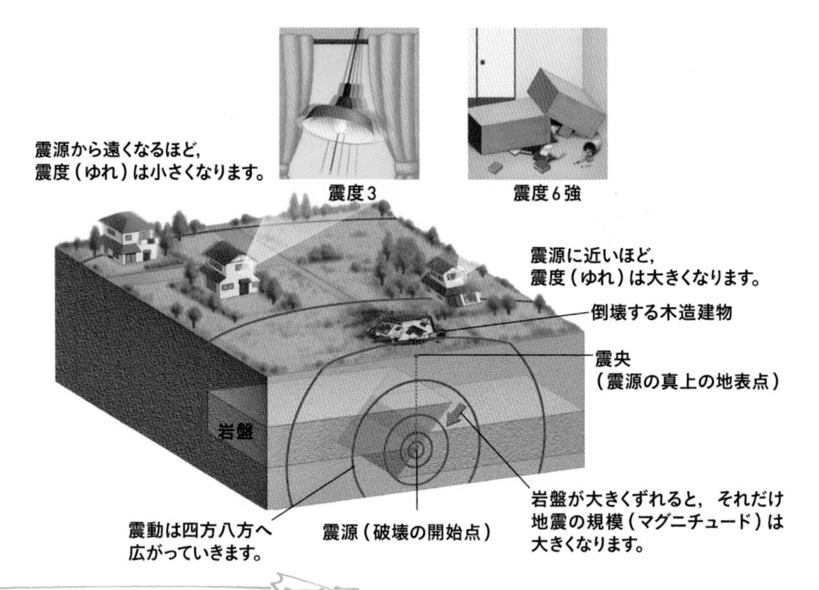

震度とマグニチュードの関係

地震の大きさを示すマグニチュードの値が大きくても，震源が遠くはなれていると，ゆれは小さくなります。逆に，震源に近ければ，マグニチュードは小さくても大きな震度となり，被害が発生します。

震度，マグニチュード［M］

震度は地震の「ゆれ」をあらわす10段階の階級。マグニチュードは，地震の規模をあらわす尺度。

国際単位ではない「特殊な単位」

情報の量をあらわす『ビット』と『バイト』

デジタルデータは0と1の二つの数字だけで表現される

1ビットで2通りの情報を区別可能。1バイトは8ビットであり，256通りの情報に対応

1ビットは「0」か「1」の2通り，2ビットは「00」「01」「10」「11」の4通り，3ビットは「000」「001」「010」「011」「100」「101」「110」「111」の8通りの情報を表現できます。このようにビットの数が一つふえるごとに，表現できる情報の種類は2倍になります。通常，8ビットをひとまとめにして1バイトとよび，1バイトは256通りの情報を表現できます。

1ビット・・・ 0 or 1

1バイト・・・

1ビット	1ビット	1ビット	1ビット	1ビット	1ビット	1ビット	1ビット
0 or 1	0 or 1	0 or 1	0 or 1	0 or 1	0 or 1	0 or 1	0 or 1

2通り × 2通り × 2通り × 2通り × 2通り × 2通り × 2通り × 2通り
＝256通り

パソコンやスマートフォンなどの情報量をあらわす単位に，「ビット（bit）」と「バイト（byte）」があります。

ビットは，「binarydigit（二進法の1けた）」の略です。**二進法とは0と1だけで数をあらわす方法で，1ビットは2通りの情報をあらわせます。**

二進法でアルファベットをあらわす場合，何ビット必要でしょうか。アルファベットは全部で26文字あります。大文字と小文字を区別すると52文字になるため，最低6けたは必要です（$2^6 = 64$）。実際のコンピューターでは数字や記号，特殊な文字などが加わるため，1文字を8けたで表現する8ビットを標準とし，256種類の文字に対応できるようにしています（$2^8 = 256$）。

この8ビットを一つにまとめて，1バイトとよんでいます（1バイト＝8ビット）。なお，日本語は文字数が多いため，2バイトで1文字を表現しています。

1バイトは英語の1文字分の情報量

英語圏では，1バイトの情報量は，1文字分に相当します。

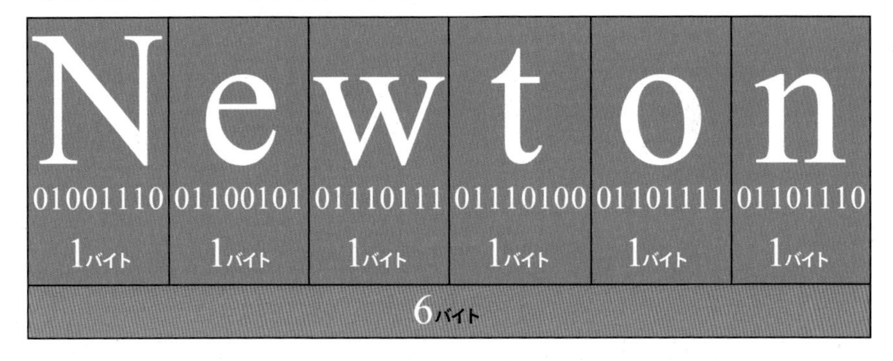

「Newton」は6文字だから
6バイトの情報量

ビット，バイト
［bit］［byte］
1ビットは1けたの二進法の数（0，1）を表現でき，ビット数が一つふえるごとに表現できる情報数が2倍になる。8ビットをまとめて1バイトとよぶ。

国際単位ではない「特殊な単位」

宇宙の距離をあらわす三つの単位

太陽と地球の距離を基準にする「天文単位」，太陽系外の距離をあらわす「光年」「パーセク」

単位を使って宇宙の距離をあらわしてみると

太陽からの距離を，天文単位，光年，パーセクを使ってあらわしました。ある天体までの距離を光年であらわすと，その天体から何年前の光が届いているのかがすぐにわかります。たとえば，5光年の距離にある天体からは，5年前の光が届いていることになります。

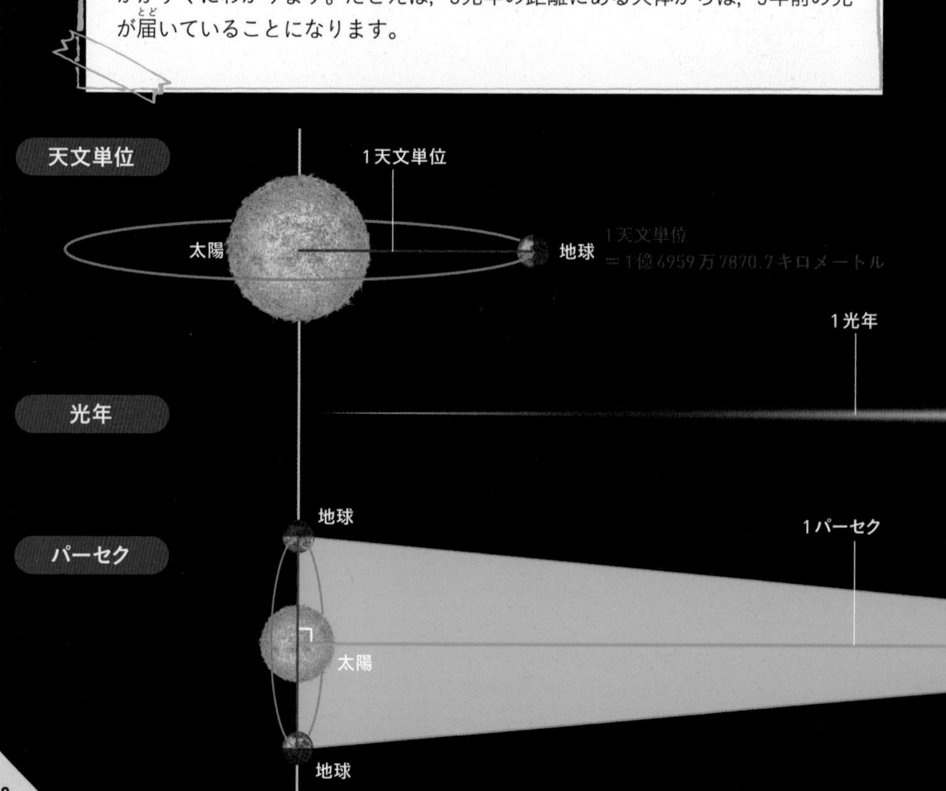

宇宙の距離をあらわす単位には，「天文単位（au）」「光年」「パーセク（pc）」の三つがあります。

天文単位とは，太陽と地球の距離を基準とする単位です。2012年に国際天文学連合（IAU）によって，1天文単位は1億4959万7870.7キロメートルと決定されました。

光年は，光が真空の宇宙空間で1年間に進む距離を1光年とする単位です。1光年は，9兆4607億3047万2580.8キロメートルになります。

パーセクは，年周視差（あるときに見た天体が半年後にずれた角度の半分の量）が1秒角になるときの，太陽からの距離を1パーセクとする単位です。1パーセクは，約30兆8568億キロメートルにあたります。

天文単位は，太陽系の天体の距離をあらわしたり，太陽系とほかの惑星系を比較したりするときに使われます。光年とパーセクは，主に太陽系外の天体までの距離をあらわすときに使われます。

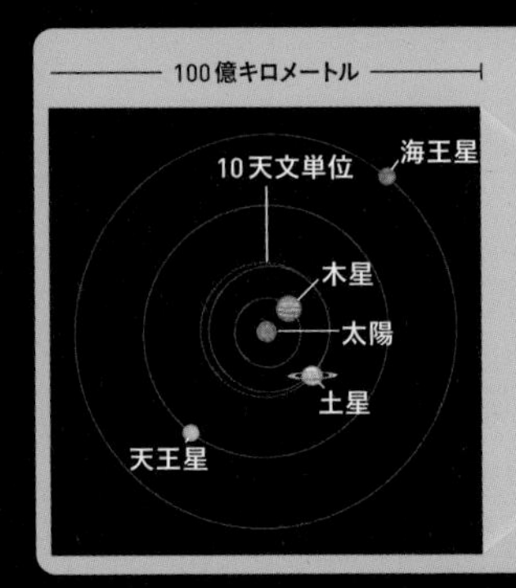

※：太陽のようにみずからのエネルギーで輝く星。

光

1光年
9460兆7304億7258万800メートル
（＝約9兆4607億キロメートル＝約6万3241天文単位）

年周視差が1秒角（1秒角＝3600分の1度）

天体

1パーセク
約3京856兆8000億メートル
（＝約30兆8568億キロメートル＝約3.26光年＝約20万6265天文単位）

天文単位，光年，パーセク
［au］［光年］［pc］

1天文単位は1495億9787万700メートル。1光年は9460兆7304億7258万800メートル。1パーセクは約3京856兆8000億メートル。

国際単位ではない「特殊な単位」

酸性・アルカリ性の程度をあらわす『pH』

0に近いほど酸性が強く
14に近いほどアルカリ性が強い

レモンをすっぱく感じるのは，クエン酸という「酸」が含まれているためです。酸が水に溶けると，酸の分子から「水素イオン（H^+）」が分かれます（解離）。この水素イオンが舌の味覚センサーを刺激するため，すっぱいと感じるのです。

一方，苦味があり，酸と反応する物質が「塩基」です。塩基のうち，とくに水に溶ける物質を「アルカリ」ともよびます。

「pH（水素イオン指数）」は，酸性・アルカリ性の度合いを示す単位です。**pHの値は，水素イオンの濃度をあらわしています。0から14までの値をとり，pH7が中性で，それより値が小さいと酸性，大きいとアルカリ性です。**

pH1とは，水溶液1リットル中に約0.1（10^{-1}）モルの水素イオンが含まれている，という意味です。

水溶液中の水素イオン濃度は，酸性やアルカリ性の程度によって大きく変わります。最も強い酸性の水素イオン濃度を1とすると，最も強いアルカリ性では，0.00000000000001となります。その差はなんと14けたにもなり，数値をそのまま酸性・アルカリ性の指標とするのは不便です。**そこでpHは，水素イオン濃度が「10のマイナス何乗であるか」を示す値としています。**

pHは水素イオン濃度をあらわす

各pHの左側に，対応する水素イオン濃度（水溶液1リットルあたりの水素イオンの量［モル］）を示しました。右側には身近な水溶液の例をえがきました。

水素イオン濃度	
1.0（10^{0}）	pH0
0.1（10^{-1}）	pH1
0.01（10^{-2}）	pH2
0.001（10^{-3}）	pH3
0.0001（10^{-4}）	pH4
0.00001（10^{-5}）	pH5
0.000001（10^{-6}）	pH6
0.0000001（10^{-7}）	pH7
0.00000001（10^{-8}）	pH8
0.000000001（10^{-9}）	pH9
0.0000000001（10^{-10}）	pH10
0.00000000001（10^{-11}）	pH11
0.000000000001（10^{-12}）	pH12
0.0000000000001（10^{-13}）	pH13
0.00000000000001（10^{-14}）	pH14

水溶液の例

ピーエイチ（ペーハー）［pH］

酸性・アルカリ性の度合いを示す単位。pH7が中性で，それより値が小さいと酸性，大きいとアルカリ性。

国際単位ではない「特殊な単位」

音の変化を意味する『デシベル』

音圧が1けた大きくなると，デシベルの値は20ふえる

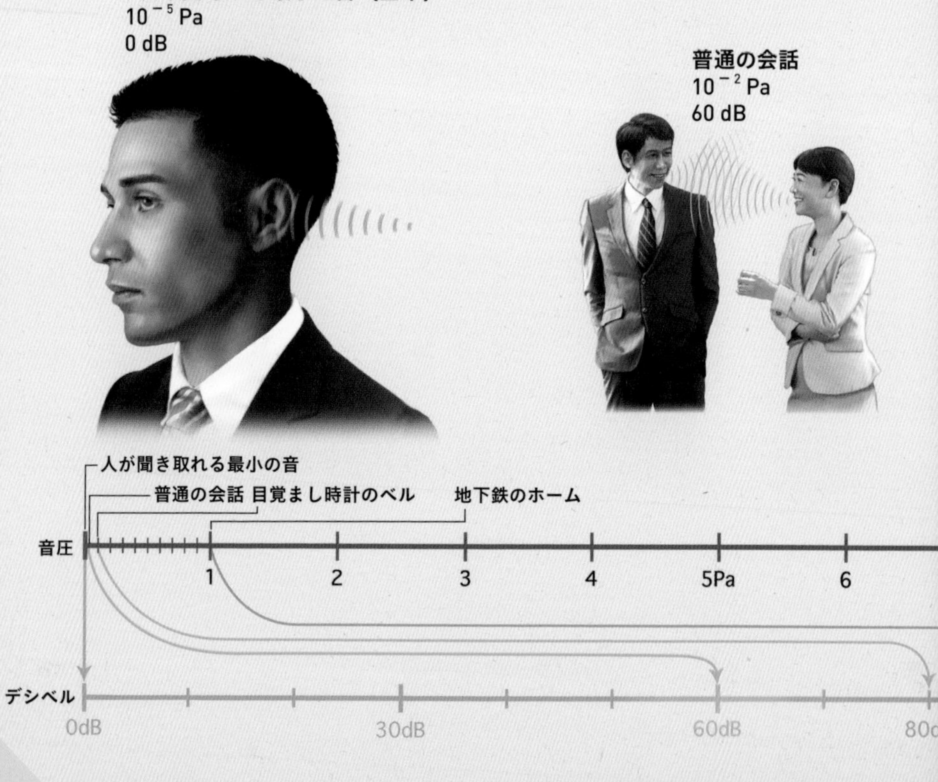

音の正体は，空気の振動です。空気の振動の強さが大きいほど，人の耳には大きな音として聞こえます。この空気の振動の強さ（音圧）は，人が聞き取れる最小の音では，約10^{-5}パスカル（Pa）とされています。

この音圧の数値は，小さな音と大きな音で大きく変化します。そこで，音量の指標が人の感覚に近くなるようにした単位が「デシベル（dB）」です。

デシベルは大まかにいうと，音の大きさのちがいによる，音圧の「けた」の変化の度合いを示しています。音圧が10倍になるとデシベルの値は20ふえ，100倍になると40ふえ，1000倍になると60ふえます。つまり音圧が1けた大きくなると，デシベルの値は20ふえるわけです。

デシベルを使えば，人が聞き取れる最小の音は0dB，ジェット機のエンジン音は120dB程度と，わかりやすい数値で音量を表現できます。

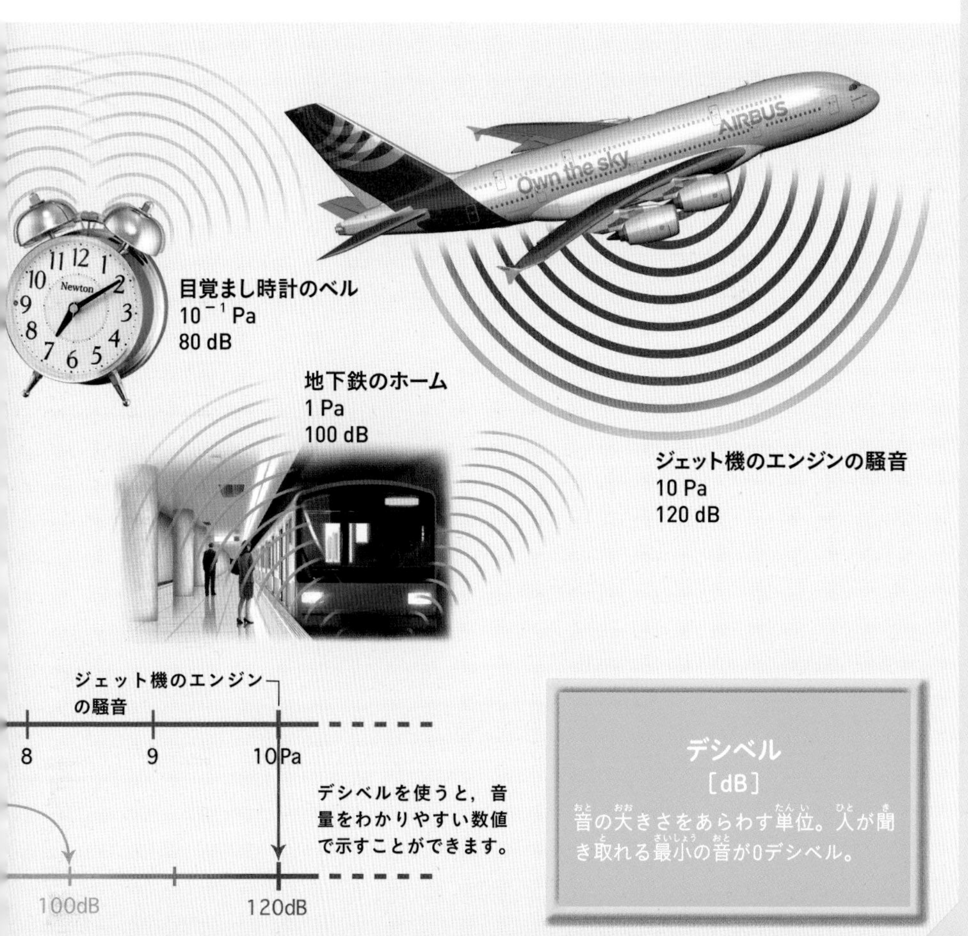

デシベル
［dB］
音の大きさをあらわす単位。人が聞き取れる最小の音が0デシベル。

国際単位ではない「特殊な単位」

ダイヤモンドの質量をあらわす『カラット』

1カラットは0.2グラムに相当する

最大のダイヤモンド「カリナン」

カリナンは，史上最大のダイヤモンドの原石といわれています。長辺11センチメートル，幅5センチメートル，高さは6センチメートルほどで，硬式野球ボール（直径約7.5センチメートル）とさほど変わらない大きさです。

硬式野球ボール
（直径：約7.5センチ，
質量：およそ145グラム）

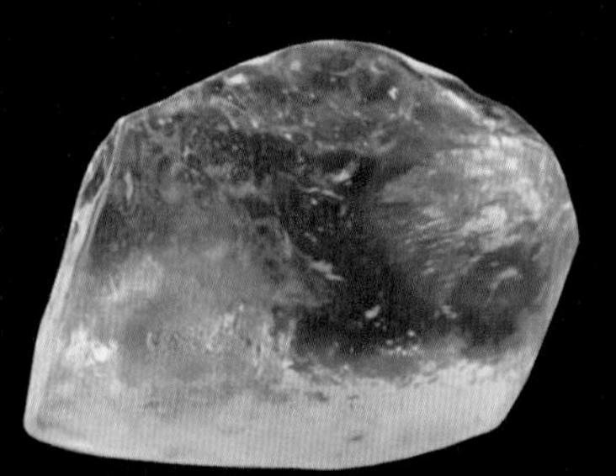

最大級のダイヤモンド原石「カリナン」
（長辺：約11センチ，幅：約5センチ，
高さ：約6センチ，
質量：3106カラット＝621.2グラム）

ダイヤモンドが市場で流通するとき，品質を評価するために，「ダイヤの4C」とよばれる基準が使われています。傷や含有物を示すクラリティ（Clarity），色（Color），カット（Cut），そしてカラット（Carat）です。

「カラット（ct，car）」は，ダイヤモンドの質量をあらわす単位です。1カラットは，0.2グラムに相当します。これまでに発見された最大のダイヤモンドは，1905年に南アフリカのカリナン鉱山で発見された「カリナン」だといわれています。その質量は，3106カラット（621.2グラム）もありました。

ダイヤモンドの結晶が成長するためには，地球内部の高い圧力と高い温度，そして長い時間が必要とされます。大きなダイヤモンドは，地下深いところにある大量の炭素（ダイヤモンドの材料）がとけた液体の中で，じっくり時間をかけてできるとみられています。

原石「カリナン」からできた宝飾用ダイヤモンド

カリナン1
530.2カラット

カリナン2
317.4カラット

カリナン3
94.4カラット

カリナン4
63.6カラット

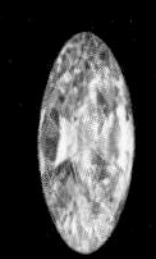
カリナン5
18.8カラット

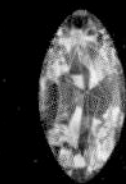
カリナン6
11.5カラット

カリナン7
8.8カラット

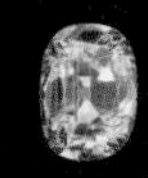
カリナン8
6.8カラット

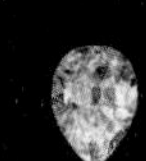
カリナン9
4.39カラット

カラット
［car，ct］
ダイヤモンドの質量をあらわす単位で，1カラットは0.2グラムに相当。

国際単位ではない「特殊な単位」

血圧の測定に使われる『mmHg』

圧力を測定するための歴史を物語る単位

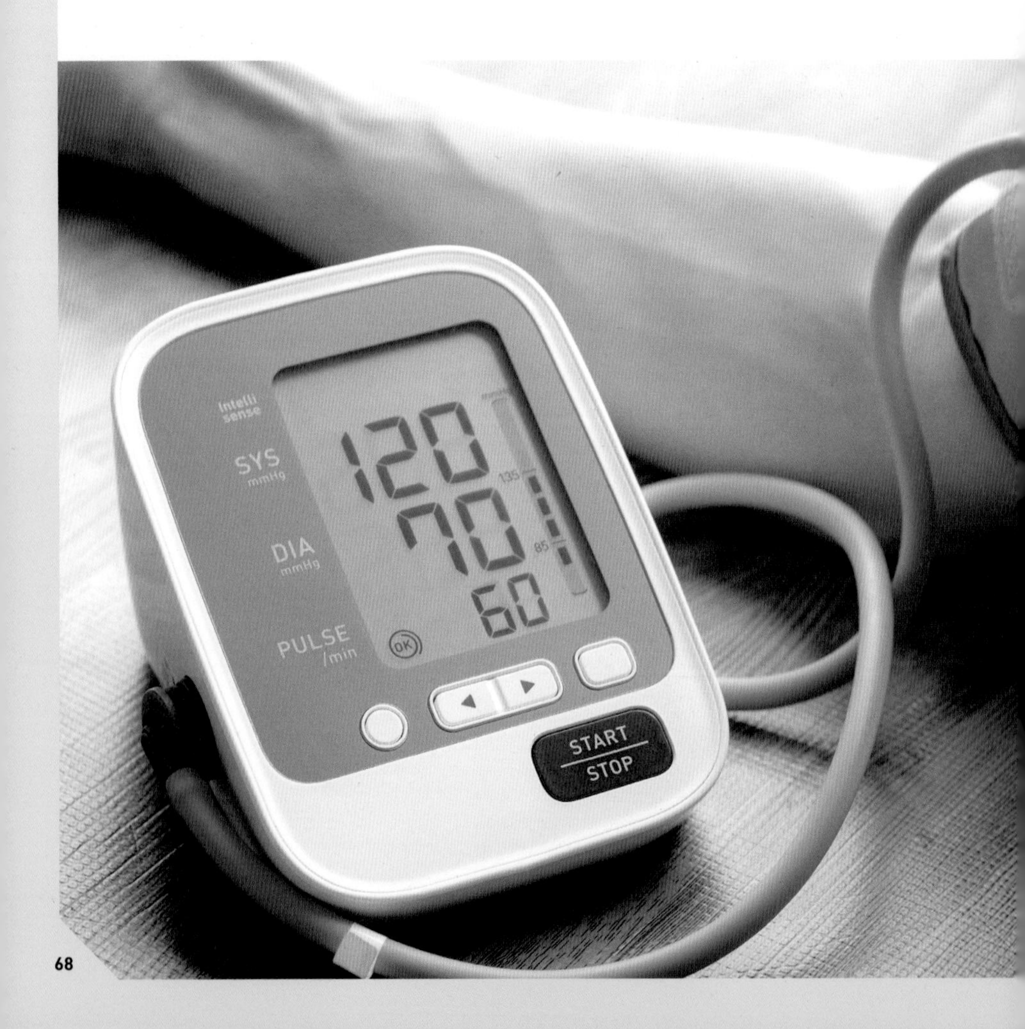

血圧の単位には，「水銀柱ミリメートル（mmHg）」という単位が使われています。**一般的に圧力の単位はパスカル（Pa）ですが，水銀柱ミリメートルは，圧力の測定のルーツを残した単位です。**

圧力を測定する方法を最初に考えたのは，イタリアの物理学者エバンゲリスタ・トリチェリ（1608～1647）です。彼は圧力をはかるために水銀を使いました。

長さ1メートルのガラス管に水銀を満たして，開いたほうの口を手でふさぎながら，水銀の入った容器の中に管を逆さに入れます。そして，口をふさいでいた手を放すと，管の中の水銀は下向きに下がっていき，高さ76センチメートルのところで止まりました。**彼はこの現象から，容器の液面を押す大気圧の圧力と下がっていく水銀の重力による圧力がつり合うところで水銀の高さは止まるのではないか，と考えました。**

当初，この考えは受け入れられませんでしたが，のちにトリチェリの考えが正しいことが証明されました。

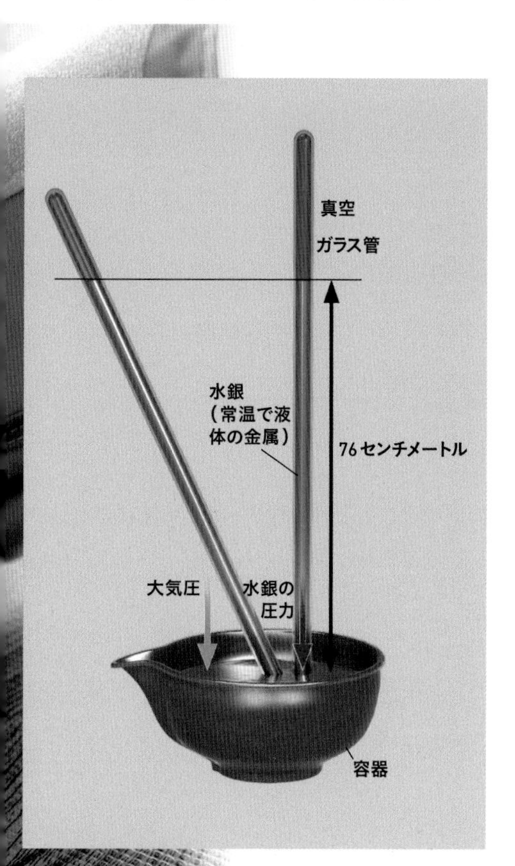

トリチェリの水銀柱実験

ガラス管を水銀で満たし，そのガラス管の開いたほうの口を手でふさぎながら，水銀の入った容器に逆さに立てます。口をふさいでいた手を放すと，ガラス管の上部に空洞ができます。トリチェリの実験でつくられたこの空洞こそが，人類がはじめて目に見える形でつくりだした真空だとされています。

水銀柱ミリメートル
［mmHg］

血圧の測定に使われる単位。国際単位に換算すると，1mmHg＝$\frac{101325}{760}$Pa（約133.322Pa）。

まだまだある特殊な単位

厳選したものをまとめて紹介

国際単位系ではない特殊な単位の中には，私たちがふだんから耳にする単位がたくさんあります。たとえば，容積をあらわす国際単位は「立方メートル」ですが，日常生活では「酒1升」「水1リットル」「牛乳200cc」といった単位のほうがよく使われます。

ここでは，そのほかの特殊な単位から，厳選したものをまとめて紹介します。

国際単位系ではない容積の単位

単位	国際単位への換算
勺	1 勺＝0.1 合≒0.000 018 039 m^3（≒18.039 cm^3，0.018 039 L）
合	1 合＝0.1 升≒0.000 180 39 m^3（≒180.39 cm^3，0.18039 L）
升	1 升＝$\frac{2401}{1331}$ L≒0.001 803 91 m^3（≒1 803.91 cm^3，1.8039 L）
斗	1 斗＝10 升≒0.018 039 07 m^3（≒18 039.07 cm^3，18.039 L）
石	1 石＝10 斗≒0.180 390 68 m^3（≒180.39 L）
ガロン	1 gal＝0.003 785 412 m^3（=3 785.412 cm^3，3.785 412 L）
バレル	1 barrel＝0.158 987 3 m^3（=158.987 3 L）
シーシー	1 cc＝0.000 001 m^3（=1 cm^3，0.001 L）
リットル	1 L＝0.001 m^3（1000 cm^3）

海里

航海路や航空路など，地球全体にわたるような大きな距離をあらわす単位です。最初，海里の基準は緯度でした。ところが，地球は完全な球ではなく扁平な球なので，緯度ごとに1海里の長さもちがうことになってしまいます。このため，1929年，国際基準として使う1海里は1852メートルと決められました。

ノット
[kn]

船，航空機，風や海流の速さをあらわす単位です。1ノットは，1時間で1海里の距離を進む速さを示します。

トン
[t]

質量をあらわす単位で，船の体積をあらわす単位としても使われます。1トンを立方メートルに換算すると，1t≒2.8329m^{3}です。船の体積には，船のさまざまな要素に注目したあらわし方があります。たとえば「総トン」は船の全体積をあらわし，「容積トン」は船にのせて運ぶ荷物の容積をあらわします。

ガル
[Gal]

地震がおきたとき，地震のゆれの加速度をあらわす単位です。加速度とは，決まった時間あたりの速度の変化量をあらわすもので，1ガルは，1秒あたり1センチメートル毎秒の速さが加わる加速度です。

回転速度
[rpm]

CDやブルーレイなどでは，情報が書きこまれている円盤が回転することで，書きこまれた（記録された）情報が取りだされ，再生されます。それぞれの円盤の回転速度は，製品によって決められています。これらの回転速度をあらわす単位が「rpm」です。1rpmは，1分間に1回転する速度をさしています。

テックス
[tex]

糸の太さをあらわす単位の一つです。糸の直径をはかるのではなく，糸の長さを一定にして，その質量をはかって太さをあらわします。1テックスは「1メートルの糸の長さが1ミリグラムの太さ」にあたります。

もんめ
[mom]

日本が独自に使ってきた質量の単位です。現在の日本では，ほとんど耳にすることのない単位ですが，実は真珠の質量をあらわす単位として，今でも世界的に用いられています。

オングストローム
[Å]

とても短い，電磁波の波長などをあらわす単位として使われています。1オングストロームは，10^{-10}メートルです。

Column

コーヒーブレーク

古代では，人は身体を使って長さをはかった

古代から使われた長さの単位に，身体の一部を使った「身体尺」があります。たとえば，ヤード・ポンド法の「フィート／フート」は，「足の爪先からかかとまでの長さ」を，「ヤード」は「肘から中指の先までの長さの2倍」を基準としました。また，尺貫法の「尺」は「親指と

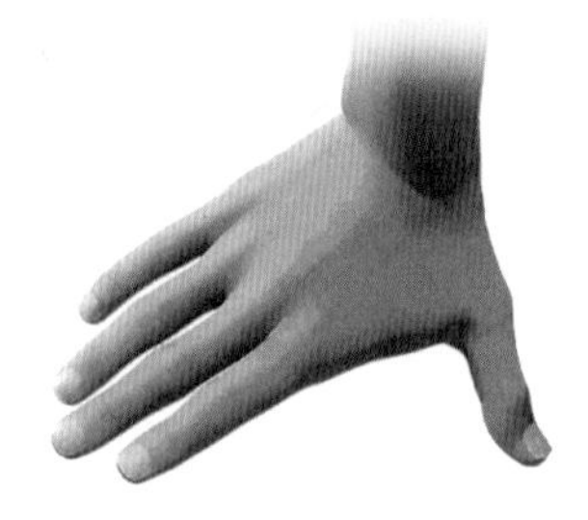

尺（1尺＝30.3センチメートル）は，もとは古代中国で親指と人さし指または中指を広げた幅を基準に決められたと考えられています。時代とともにその長さは長くなり，大尺（約29センチメートル）と小尺（約24センチメートル）の2通りの尺が存在した時代もあります。

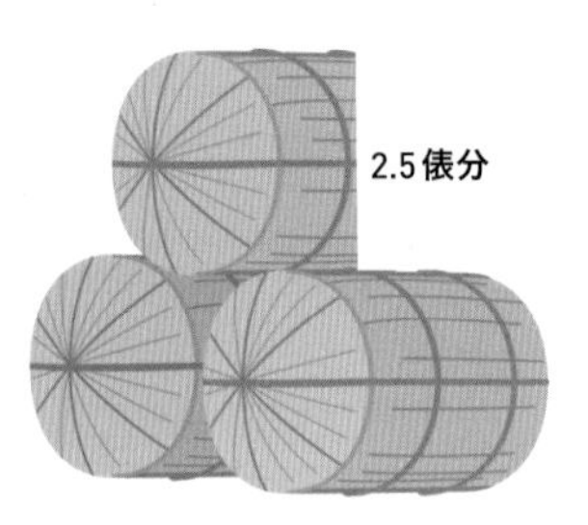

石（1石＝180.39リットル）は大人一人が1年間に食べる米の量をあらわし，1石＝10斗＝100升＝1000合。米俵では2.5俵にあたります。

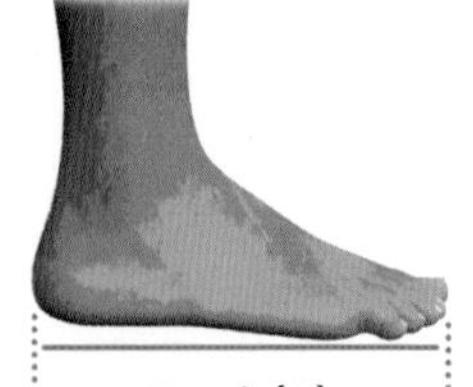

フィート／フート（1フィート＝30.48センチメートル）は足の爪先からかかとまでの長さをもとにしています。

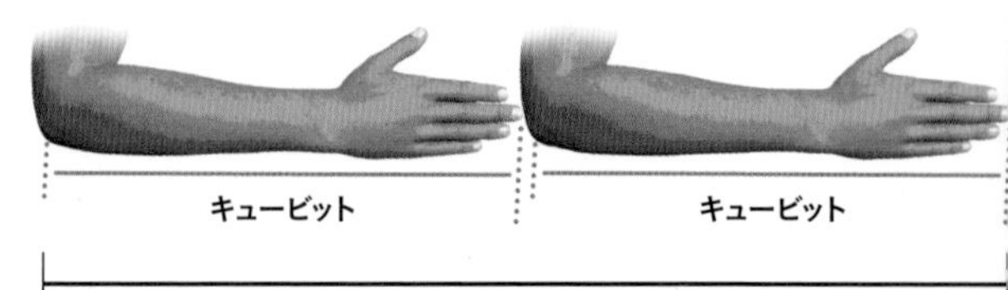

ヤード（1ヤード＝91.44センチメートル）の起源は諸説あり，古代のメソポタミアやエジプト，ローマ帝国などで広く使われた「キュービット」(肘から中指の先までの長さ）の2倍として決められたという説が有名です。

人さし指または中指を広げた幅」を基準にしたと考えられています。

人間の動作や活動に由来する単位もあります。ヤード・ポンド法での質量の単位「ポンド」は，古代メソポタミア地方で「大人一人が1日に食べるパンの原料となる大麦の質量をあらわした単位」が起源とされています。尺貫法の体積の単位「石」も，「大人一人が1年間に食べる米の量（1000合）」をあらわすとされています。

動物の動作や活動に起源をもつ単位もあります。ヤード・ポンド法の面積の単位「エーカー」は，2頭の牛がすきを引いて1日に耕すことができる畑の面積が由来になっています。

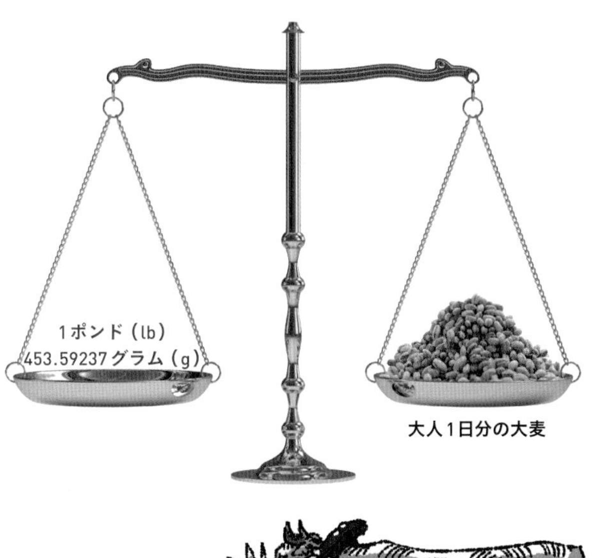

ポンド（1ポンド＝453.59237グラム）は古代メソポタミアで，大人一人が1日に食べるパンをつくる大麦の質量として決められた単位です。また，1ポンドの重さの銀を通貨の単位としたことから，イギリスなどの通貨単位の名前としても使われています。

土地の面積をあらわすエーカー（1エーカー＝4046.9平方メートル）は，牛2頭がすきを引いて1日に耕す畑の面積が由来となっています。

4
運動と波，電気と磁気の法則

ここからは，法則や原理についてみていきましょう。法則や原理は，大ざっぱにいうと，自然界のルールのようなものです。4章では，物の運動と光や音をあらわす波の法則，そして生活にも深くかかわる電気と磁気の法則を紹介します。

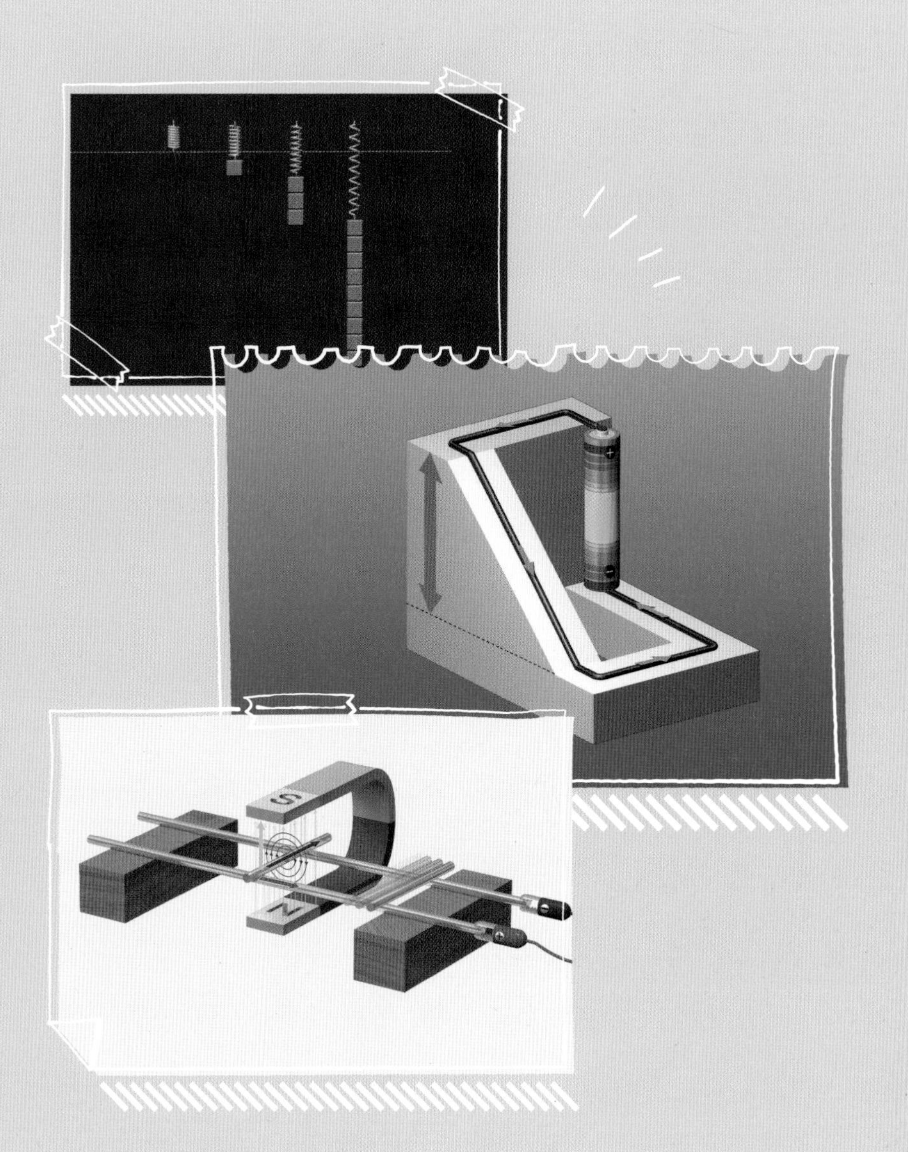
S
N

ガリレオが発見した『落体の法則』と『振り子の等時性』

中世の天才科学者が発見した法則とは?

※2：地球の重力によって地表面付近の物体に生じる加速度。

金属の球と羽毛を同じ高さから落とすと，どちらが先に落ちるでしょうか。この実験は，イタリアの科学者ガリレオ・ガリレイ（1564～1642）が発見した「落体の法則」によって説明できます。

落体の法則とは，「物体が落下する距離は，質量にかかわらず落下時間の2乗に比例する」という法則です。この法則は，空気抵抗がなければ，軽い羽毛にも重い金属の球にも，同じようにあてはまります（左ページの図）。

ガリレオはもう一つ，重大な法則を発見しています。ピサ大聖堂につるされたシャンデリアを見て，ゆれの大小にかかわらず，往復にかかる時間（周期）が同じであることに気づいたのです（右ページの**1**～**4**）※1。**この場合のシャンデリアは一種の「振り子」であり，振れ幅に関係なく，（ほぼ）同じ周期でゆれることが知られています。この性質を「振り子の等時性」といいます。**

※1：この逸話はいい伝えにすぎないともいわれています。

振り子の不思議な性質

振り子の等時性は，振り子の重さを変えても保たれます。

1. 振れ幅の大きい，重いシャンデリア

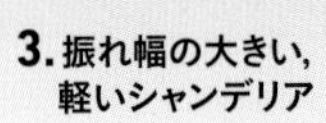

2. 振れ幅の小さい，重いシャンデリア

3. 振れ幅の大きい，軽いシャンデリア

4. 振れ幅の小さい，軽いシャンデリア

ひもの長さがのびると，周期は長くなる

振れ幅が小さいときの振り子の周期は，下の式であらわせます。円周率（π）は定数で，重力加速度は，地球上ではほぼ一定です。つまり，振り子の周期はひもの長さのみで決まります。

【振り子の周期】 $$T=2\pi\sqrt{\frac{l}{g}}$$

T：振り子の周期（単位s：秒）
l：ひもの長さ（単位m：メートル）
g：重力加速度（単位m/s^2）
π：円周率（＝3.14…）

振り子の等時性

［$T=2\pi\sqrt{\frac{l}{g}}$］

摩擦や空気抵抗を無視した場合，振り子の周期（1往復に要する時間の長さ）は，振り子の長さだけで決まり，振り子のゆれの大きさや振り子の重さにはよらない。

運動と波，電気と磁気の法則

運動の第1法則「慣性の法則」

力を受けなければ，運動の方向と速さは変化しない

1. 床の上で冷蔵庫を押す場合

冷蔵庫を押すのをやめる（冷蔵庫が力を受けなくなる）と，摩擦力によって冷蔵庫の動きはすぐに止まります。

ニュートンがまとめ上げた，「物の運動」を解き明かす法則

ニュートンは，ガリレオなどの先人たちの研究成果をひきついでまとめ上げ，さらに発展させることで「ニュートン力学」を誕生させました。そのニュートン力学の土台となっているのが，「運動の3法則」です。「慣性の法則」は，その第1法則にあたります。

床の上の冷蔵庫を押して動かす場面を思い浮かべてください。冷蔵庫を押すのをやめると，冷蔵庫は直後に動かなくなります（**1**）。「力を受けつづけなければ物体の動きは止まる」。これは日常生活の感覚と合致します。

では，「カーリング」という競技のように，つるつるの氷の上で石（ストーン）をすべらせる場合はどうでしょう。石が手からはなれて力を受けていない状態になったあとも，石はなかなか止まらずに動いていくでしょう（**2**）。これは先ほどの“常識”とは逆の現象のようにみえます。

実は，物体は本来，ほかから力を受けないかぎり，その運動の方向と速さを変えることはありません。つまり氷の上をすべる石のほうが，物体の本来の運動に近いのです。**もし摩擦力がない条件で冷蔵庫や石を動かせば，どちらも一定の速さでまっすぐに進みつづけます。これを「慣性の法則」といいます。**

2. 氷の上で石をすべらせる場合（慣性の法則）

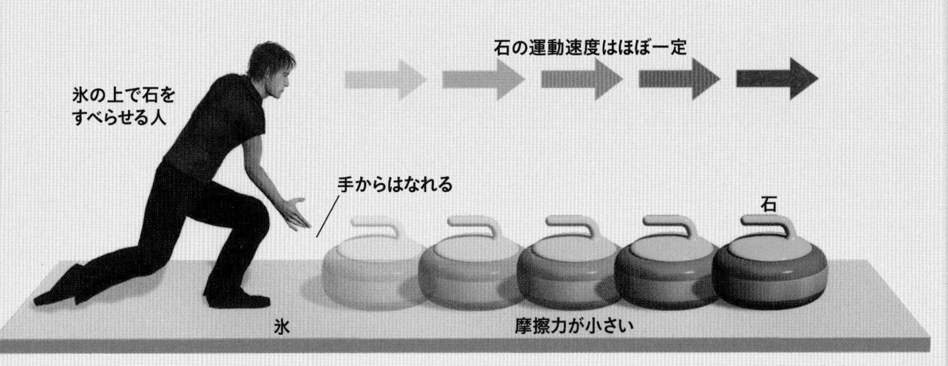

石が手からはなれた（石が力を受けなくなった）あとも，石はそのままの速さで同じ方向に動いていきます。なお，現実には氷と石との間にはたらくわずかな摩擦力や空気抵抗などのため，いずれ石の動きは止まります。

慣性の法則

物体は，外から力が作用しなければ静止または等速度運動をつづける。

運動の第2法則「運動方程式」

物体の運動の未来は予測できる

つづいて，運動の第2法則「運動方程式」を紹介します。これは，力を受けた物体がどのように運動するかについての法則を，式であらわしたものです。

物体は，力を受けると速度が変化します。1秒あたりに速度がどれだけ変化するかをあらわす量を，「加速度」といいます。**物体の質量を*m*，物体に生じる加速度を*a*，物体にはたらく力を*F*の記号であらわすと，「*ma*＝*F*」となります。これが運動方程式です。**

運動方程式を使うと，物体の質量と物体にはたらく力から，物体に生じる加速度を求めることができます。

たとえば，質量のことなる物体に同じ力をはたらかせる場合は，物体の質量によって，物体に生じる加速度が決まります。質量が大きい物体ほど，加速しにくいからです。物体に生じる加速度は，**物体にはたらく力に比例し，物体の質量に反比例するのです。**

力と速度，質量の関係は？

力と物体の運動速度の関係（1）と，質量のちがいが物体の運動にあたえる影響（2）を，右の図に示しました。運動方程式を用いれば，投げたボールの軌跡から人工衛星の軌跡まで，さまざまな物体の運動が予測できます。

運動方程式（運動の第2法則）

1. 力を受けると，物体の速度は変化する

氷の上をすべるカーリングのストーンは，摩擦力を受けて減速していき，最終的に止まります。

2. 質量が大きいほど，加速しにくい

荷物を積んでいない軽い（質量の小さい）トラックと，荷物を積んだ重い（質量の大きい）トラックの加速のしかたを比較しました。加速する力が同じだとすると，重いほうは加速度が小さくなり，速度が上がりにくくなります。

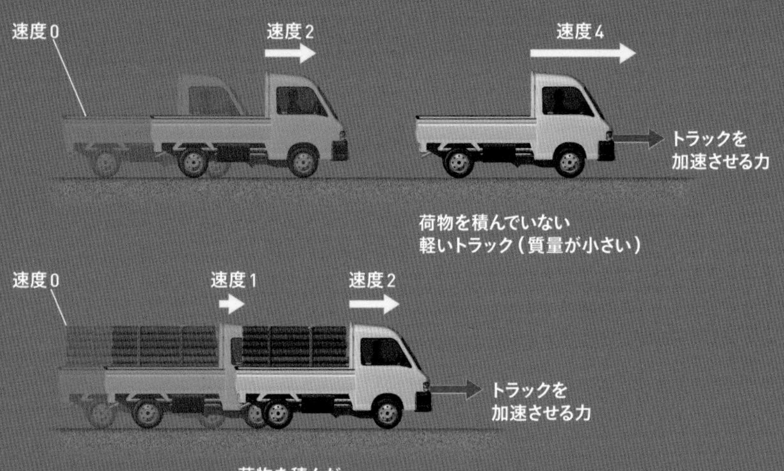

運動方程式

[$ma=F$]

「物体に生じる加速度（a）は，加えられた力（F）に比例し，質量（m）に反比例する」ということをあらわした式。

運動の第3法則「作用・反作用の法則」

力をおよぼす側と受ける側はつねに“対等”である

「作用・反作用の法則」は，どんな力でもなりたつ

左ページでは，物と物が接触しているときにはたらく力（**1**と**2**），右ページでは，物と物がはなれているときにはたらく力（**3**と**4**）での「作用・反作用の法則」の例を示しました。それぞれの例で，両者にはたらく力は，大きさが等しく，向きが正反対です。

1. こぶしで壁をなぐる

こぶしが痛いのは，壁からの反作用を受けるからです。

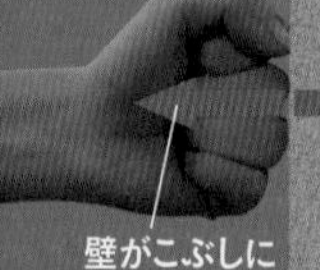

2. 歩行

私たちは地面をける反作用で前に進んでいます。この力の正体は，足と地面の間に生じる「摩擦力」です。氷の上やぬれた床が歩きにくいのは，摩擦力が小さいからです。

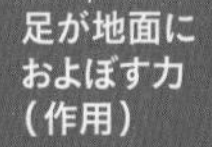

運動の3法則の三つ目は，「作用・反作用の法則（第3法則）」です。なお，ここでいう「作用」とは，力のことです。

むしゃくしゃして，思わず壁をこぶしでなぐってしまうと，なぐった手が痛みます。これは，こぶしが壁に対して力（作用）をおよぼしたのと同時に，壁がこぶしに対して，同じ大きさの力（反作用）をおよぼしたためです。少し意外に思うかもしれませんが，なぐったほうも，なぐられたほうと同じ大きさの力を，必ず受けているのです。

この関係は，どんな状況，どんな力の場合でも普遍的になりたちます。**「物体Aが物体Bに力（作用）をおよぼすとき，物体Bも物体Aに同じ大きさで正反対の向きの力（反作用）をおよぼす」のです。これを「作用・反作用の法則」とよびます。**

力をおよぼす側と力を受ける側は，つねに“対等”なのです。

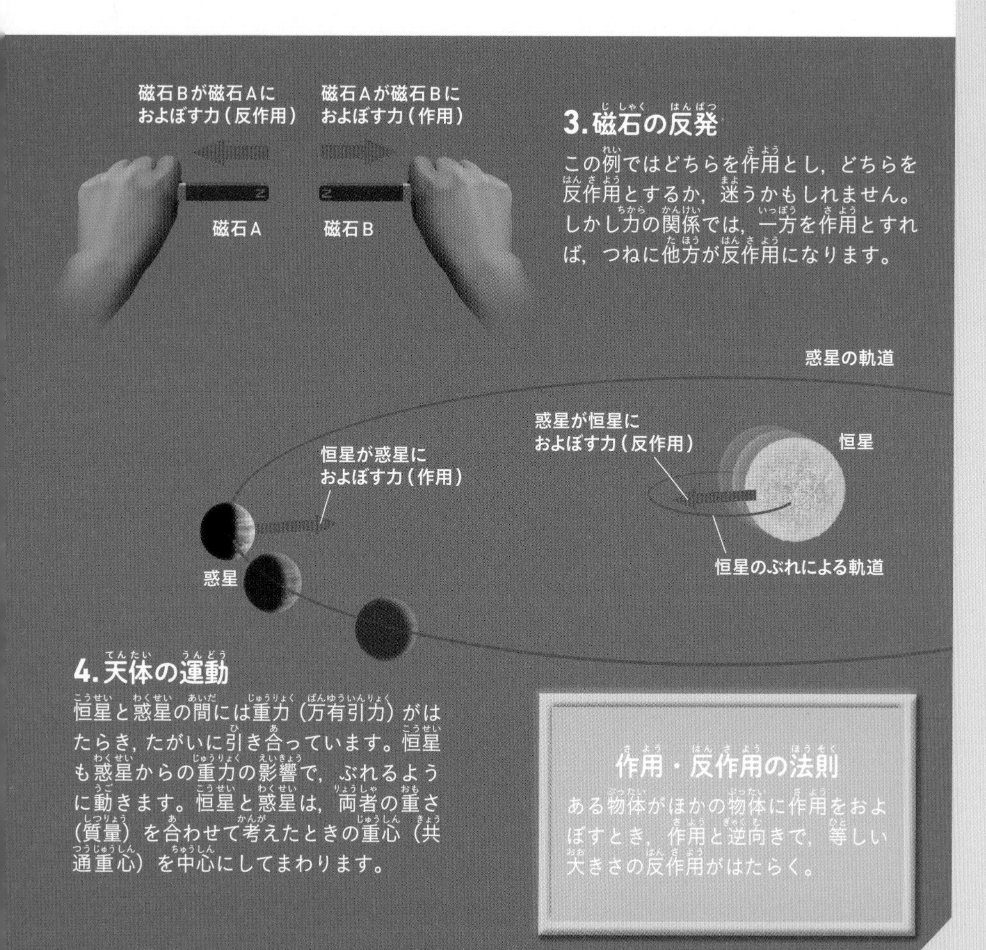

3. 磁石の反発

この例ではどちらを作用とし，どちらを反作用とするか，迷うかもしれません。しかし力の関係では，一方を作用とすれば，つねに他方が反作用になります。

4. 天体の運動

恒星と惑星の間には重力（万有引力）がはたらき，たがいに引き合っています。恒星も惑星からの重力の影響で，ぶれるように動きます。恒星と惑星は，両者の重さ（質量）を合わせて考えたときの重心（共通重心）を中心にしてまわります。

作用・反作用の法則

ある物体がほかの物体に作用をおよぼすとき，作用と逆向きで，等しい大きさの反作用がはたらく。

バネの力のはたらきを説明した『フックの法則』

のびるほど，ちぢむほどバネの力は大きくなる

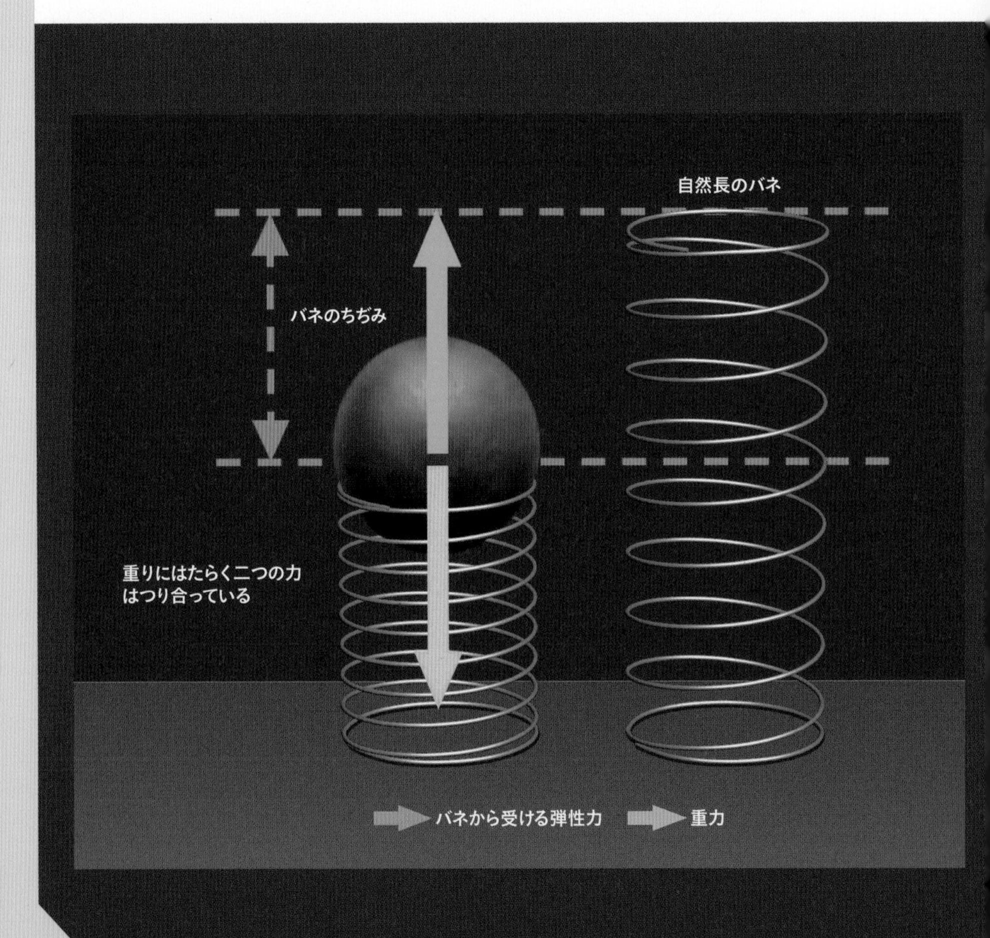

バネに重りをつるしてのばすことを考えてみましょう。このとき重りには，上向き（バネがもとの位置にもどろうとする方向）に力がはたらいています。**力の大きさは，重りがバネにあたえた力とちょうど同じ大きさです。この力を「弾性力」といいます。**

弾性力の大きさは，バネのもとの長さからのびる量，もしくはちぢむ量に比例します（ただし，のび・ちぢみの量が一定限度をこえない場合）。つまり，弾性力は，のびればのびるほど，ちぢめばちぢむほど，大きくなるのです。

この関係は，1660年にイギリスの物理学者ロバート・フック（1635～1703）によって発見されたため，「フックの法則」とよばれています。フックの法則を利用しているのが，バネばかりです。

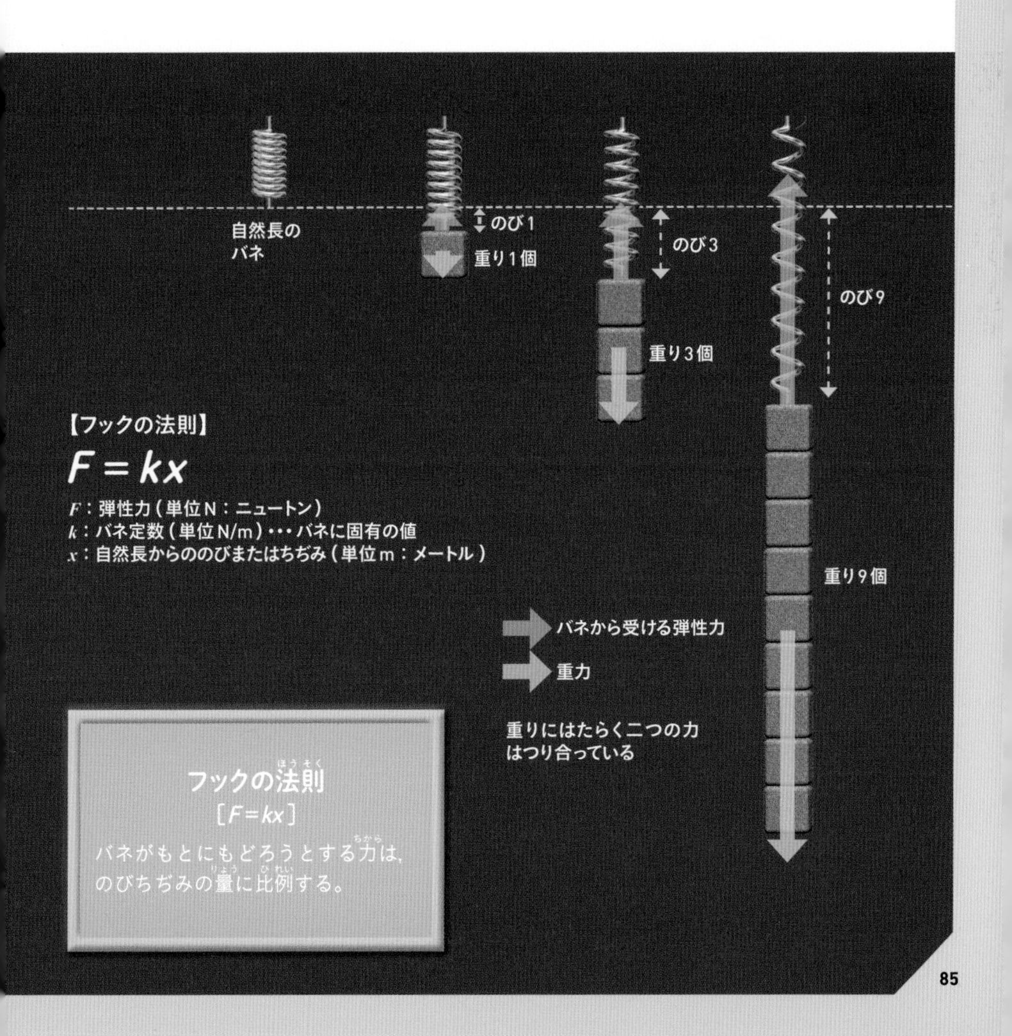

光や音波にみられる『反射の法則』と『屈折の法則』

波は決まった方向に，反射したり屈折したりする

1.反射の法則

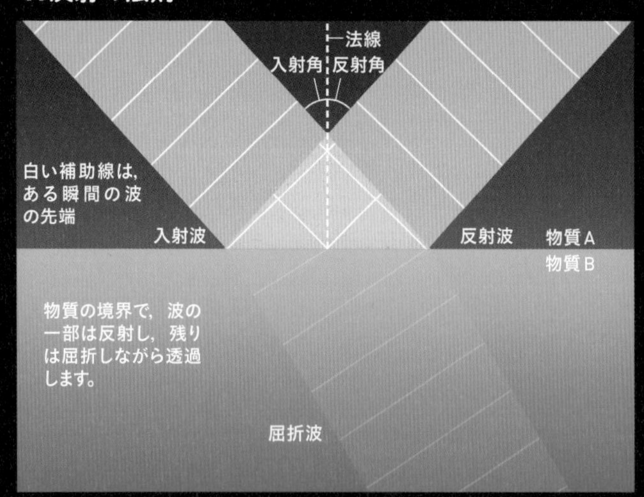

波が反射する角度は，入射した角度に等しい

波は，法線をはさんで，入射した角度に等しい角度で反射します。

波の反射と屈折の法則

光や音などの波は，空気中から水中などのことなる物質の境界線に当たると，一部は反射し，残りは屈折して進む傾向があります。こうした反射と屈折にも法則があります。

光や音波などの波は，空気中から水中に入るときなどに，境界面で一部は反射し残りは屈折しながら進みます。波が反射・屈折する角度には，それぞれ法則があります。

反射面に垂直な直線（法線）を引いたとき，入射した波と法線のつくる角度を「入射角」，法線と反射した波がつくる角度を「反射角」といいます。**反射角は，入射角と同じ角度になります。これを「反射の法則」といいます**（1）。

一方，屈折面に法線を引いたとき，屈折した波と法線のつくる角度を「屈折角」といいます。**この屈折角と入射角の比（入射角／屈折角）は，一定になります。これを「屈折の法則」といいます**（2）。

物質の境界面でおきる波の屈折は，境界面を境にした，ことなる物質どうしで，波の進行速度にちがいが生じるためにおきます。光が水中に入るときは，光の進行速度が遅くなるため屈折するのです。

2. 屈折の法則

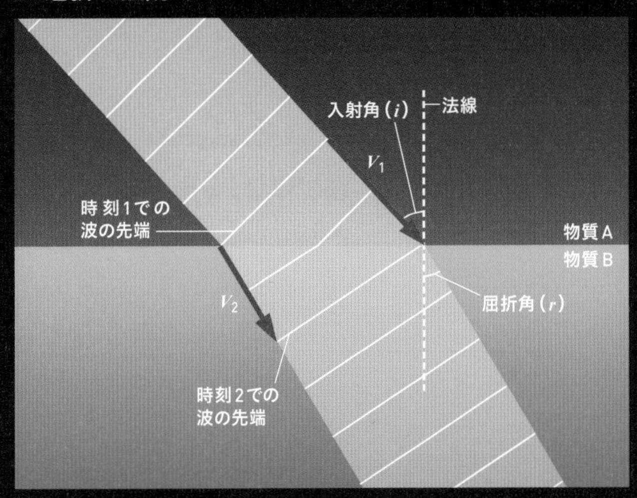

入射角のsinと屈折角のsin※の比は，つねに一定である

入射角i，屈折角r，物質Aでの波の速度V_1，物質Bでの波の速度V_2の間には，$\sin i / \sin r = V_1 / V_2 =$ 屈折率，という関係がなりたちます。

※：sin（サイン）とは三角関数の一つで，直角三角形の底辺に垂直な辺（高さ）の長さを，斜辺の長さで割った値。

反射の法則，屈折の法則

「反射の法則」は，反射面に垂直な直線である法線を引いたとき，入射角と反射角が同じ角度になる法則。「屈折の法則」は，入射角と反射角のsinの比の値が一定になる法則。

Column

コーヒーブレーク

サッカーにみる運動の3法則

サッカーのフリーキックにみる運動の3法則

2 運動方程式（運動の第2法則）
ボールにける力がはたらくと，ボールは加速して動きはじめます。

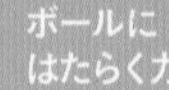

1 慣性の法則（運動の第1法則）
地面に置かれたボールは，何もしなければいつまでも動きません。

地面に置かれたサッカーボールは，何もしなければいつまでも動きません。**これは「慣性の法則（78ページ）」の一例です。**

そしてボールをけった瞬間，ボールは「力」を受けて「加速」して動きはじめ，ゴールへ向かって飛んでいきます。物体は力を受けることで，運動のようすを変化させるのです。**ニュートンは，この物体にはたらく力と運動の関係を「運動方程式」として示しました**（80ページ）。

ボールは重力を受けるので，放物線をえがいて落下します。**ボールがゴールポストに当たると，ボールがおよぼした力と同等の力をゴールポストから受けます。「作用・反作用の法則」です**（82ページ）。その結果，ボールははねかえされて飛んでいくのです。

3 作用・反作用の法則（運動の第3法則）

ゴールポストに当たったボールは，運動の向きを変えてはねかえります。

電流・電圧・電気抵抗の関係を示す『オームの法則』

電流の大きさは，電圧と電気抵抗で決まる

電流（I），電圧（V），電気抵抗（R）。この三つの関係を示しているのが，「オームの法則」です。

オームの法則によると，電流と電圧は比例の関係にあります。そして，電圧は電気抵抗とも比例関係にある一方，電流は電気抵抗には反比例します。式にまとめると，電流＝電圧÷電気抵抗（$I=\frac{V}{R}$）もしくは電圧＝電気抵抗×電流（$V=RI$）となります。

電気抵抗の値は，導線の種類や形状によってことなります。同じ導線で電気を流す場合は，電気抵抗の値が決まっているので，より大きな電流を流したいときには，その分高い電圧が必要になります。また，より電気抵抗の大きな導線に同じ大きさの電流を流したい場合は，その分高い電圧が必要になります。

逆の見方をすれば，より電気抵抗の大きな導線に，同じ高さの電圧しかかけられない場合は，その分流れる電流が小さくなるということです。

電流や電圧，抵抗の値を求められる

オームの法則を発見したのは，ドイツの物理学者ゲオルク・ジーモン・オーム（1789～1854）です。この法則を使うと，電圧，電流，電気抵抗の値のいずれか二つがわかっていれば，残りの一つの値を求めることができます。

【オームの法則】

$$V = RI$$

電圧（単位V）　電気抵抗（単位Ω）　電流（単位A）

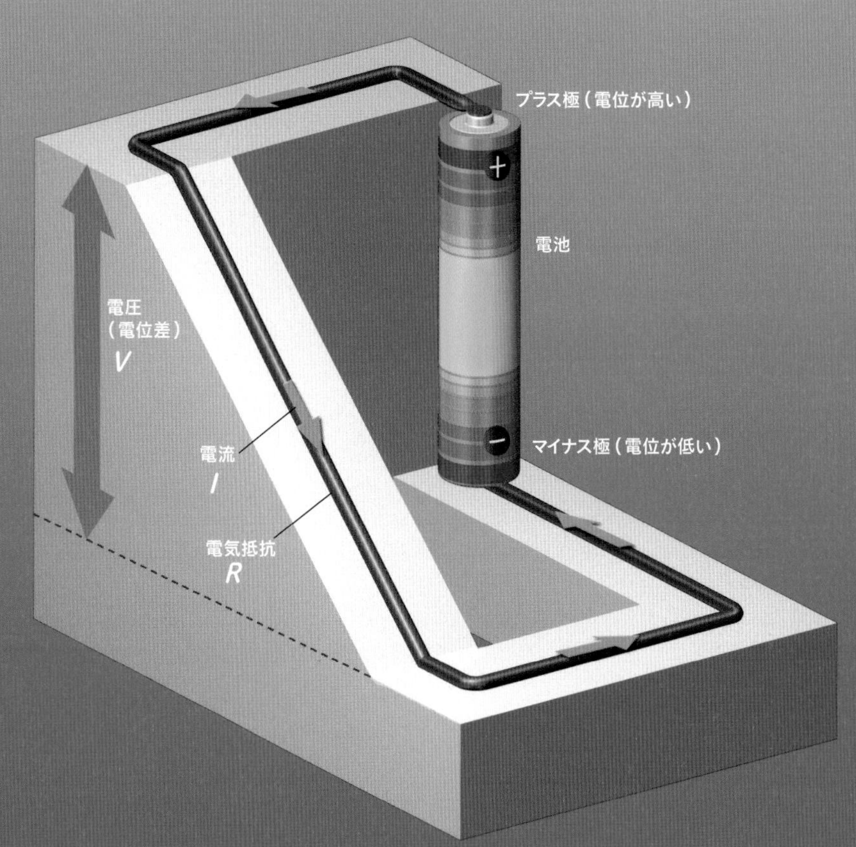

オームの法則

［$V=RI$］

電気抵抗の同じ導線に電気を流す場合は，電圧を高くするほど大きな電流が流れる。一方，かけられる電圧が同じ場合は，電気抵抗の大きな導線ほど，流れる電流は小さくなる。

電化製品が熱くなる理由がわかる『ジュールの法則』

電子と原子の“衝突”が熱を生みだす

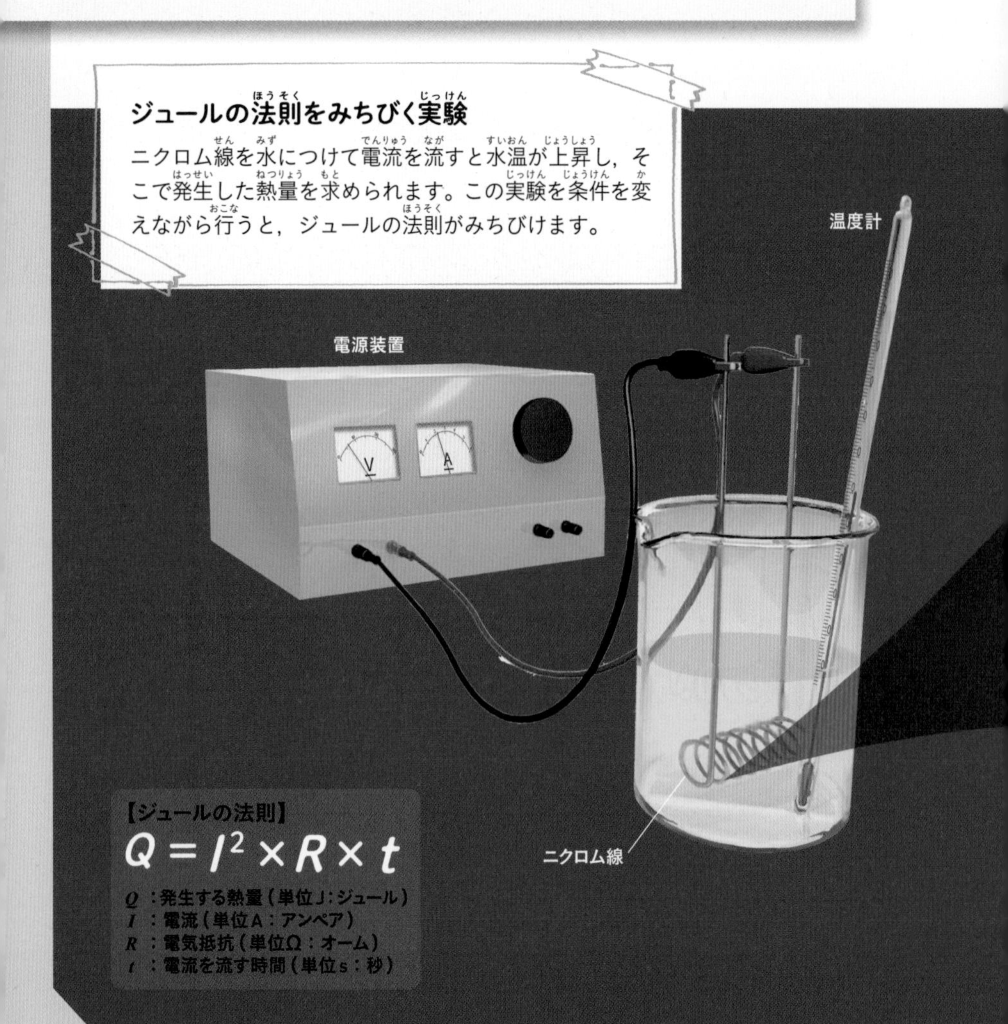

電気ストーブやアイロンなどは，電源を入れるとすぐに熱くなります。電流を流すことによって発生するこのような熱は，イギリスの物理学者ジェームズ・プレスコット・ジュール（1818～1889）の名前にちなみ，「ジュール熱」とよびます。

ジュールは，水につけた導線に電流を流す実験によって，電流と発生した熱量との関係をみちびきだすことに成功しました。ジュールの実験では，まず，「ニクロム線」を水につけます。ニクロムとは，ニッケルとクロムを中心とした非常に電気抵抗が大きい合金です。そしてニクロム線に電流を流し，温度計によって水の温度上昇を測定します。電流や抵抗の大きさを変えながら，この実験を行うことで，電流や抵抗の大きさと，熱量との関係を求められるのです。

こうしてみちびかれたジュールの法則は，「発生する熱量（Q）は電流（I）の2乗と抵抗（R）に比例する」というものです。

電子と原子の“衝突”が熱を生む

ニクロム線をミクロな視点で見た模式図です。ニクロム線の原子に電子が“衝突”すると，原子の振動がはげしくなります。これが熱の発生のしくみです。

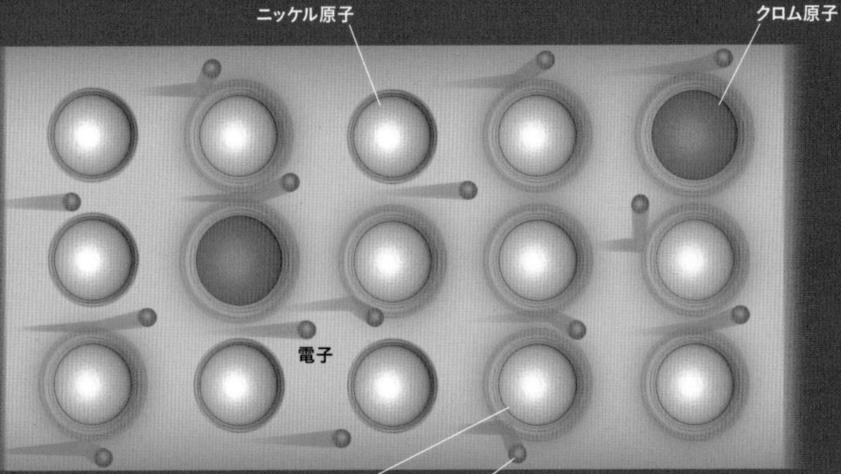

ニッケル原子

クロム原子

電子

“衝突”によって振動がはげしくなった原子

“衝突”して，進行方向が変えられた電子

ジュールの法則

$[Q=I^2\times R\times t]$

発生する熱量（Q）は電流（I）の2乗と電気抵抗（R）に比例する。つまり，電流や抵抗の値が大きいほど，発生する熱量（ジュール熱）はふえる。

電流と磁場の関係をあらわす「アンペールの法則」

電流のまわりには右まわりの磁場が生じる

磁場とアンペールの法則

直線の導線に電流を流すと，右ねじの法則にしたがった向きに，同心円状の磁場ができます。この磁場の強さは，電流の大きさと，同心円の半径から求めることができます。

導線

半径（r）

【アンペールの法則】

$$H = \frac{I}{2\pi r}$$

H：磁場の強さ（単位N/Wb）
I：流れた電流（単位A：アンペア）
r：円の半径（単位m：メートル）
π：円周率（3.14…）

電流と磁力の間には，密接なつながりがあります。直線の導線を流れる電流のまわりには，同心円状に磁場※が発生します。この磁場の向きは，電流の向きによって決められます。

ねじをまわすことを想像しましょう。**導線を流れる電流の向きを，ねじ（右ねじ）が進む向きと考えます。このとき，ねじをまわそうとする向きが，磁場の向き（N極が磁力を受ける向き）になるのです。**この関係を「右ねじの法則」といいます。

そして，このときに生じた同心円状の磁場の強さは，流れた電流と，同心円の半径から求めることができます。**電流が大きいほど，また導線に近い場所ほど（つまり同心円の半径が小さいほど），磁場の強さは大きくなります。**

この法則は，フランスの物理学者アンドレ・アンペール（1775～1836）が明らかにしたもので，「アンペールの法則」とよばれています。

※：磁力がはたらいている空間。磁界ともいいます。

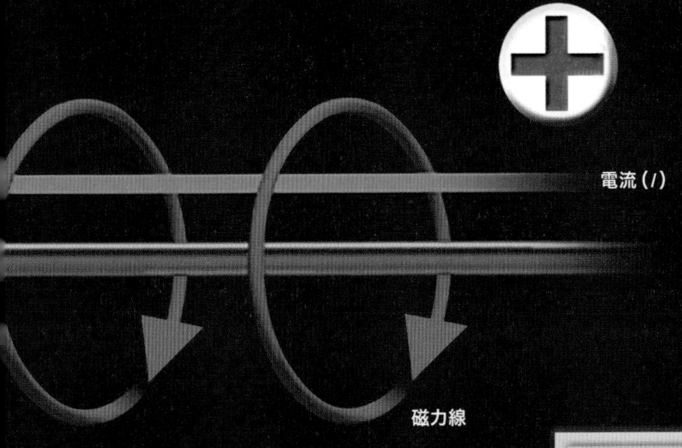

電流（I）

磁力線

アンペールの法則

$$H=\frac{I}{2\pi r}$$

電流とそのまわりの磁場の関係をあらわす法則。電流が大きいほど，また導線に近いほど，磁場の強さは大きくなる。

3本の指を使う『フレミングの左手の法則』

左手を使い，「電・磁・力」で覚える三つの向き

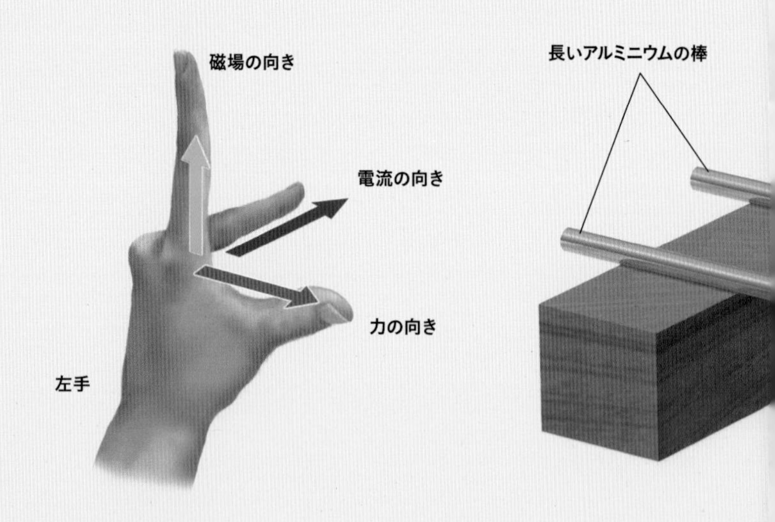

親指の向きが，力のはたらく向き

左手の中指，人さし指，親指を，それぞれが直角にまじわるようにのばします。中指を電流の向き（電源のプラス極側からマイナス極側の方向）に，人さし指を磁場の向き（N極からS極の方向）に向けると，親指の向きが力の向きになります。

下に示した図のように，磁石のN極とS極の間の磁場に，1本の導線（図では短いアルミニウムの棒）があるとします。この導線に「電流」を流してみましょう。すると導線を流れる電流は，磁場から決まった方向に「力」を受けます。これが磁力です。

このときの電流の向き，磁場の向き，力の向きの関係を，左手であらわしたものが「フレミングの左手の法則」です。イギリスの電気工学者ジョン・アンブローズ・フレミング（1849～1945）が考案しました。

フレミングの左手の法則では，左手の中指，人さし指，親指を使います。まず3本の指を，それぞれが直角にまじわるようにのばします。そして中指を電流の向き（電源のプラス極からマイナス極の方向）に，人さし指を磁場の向き（N極からS極の方向）に向けると，親指の向きが力の向きになるのです。

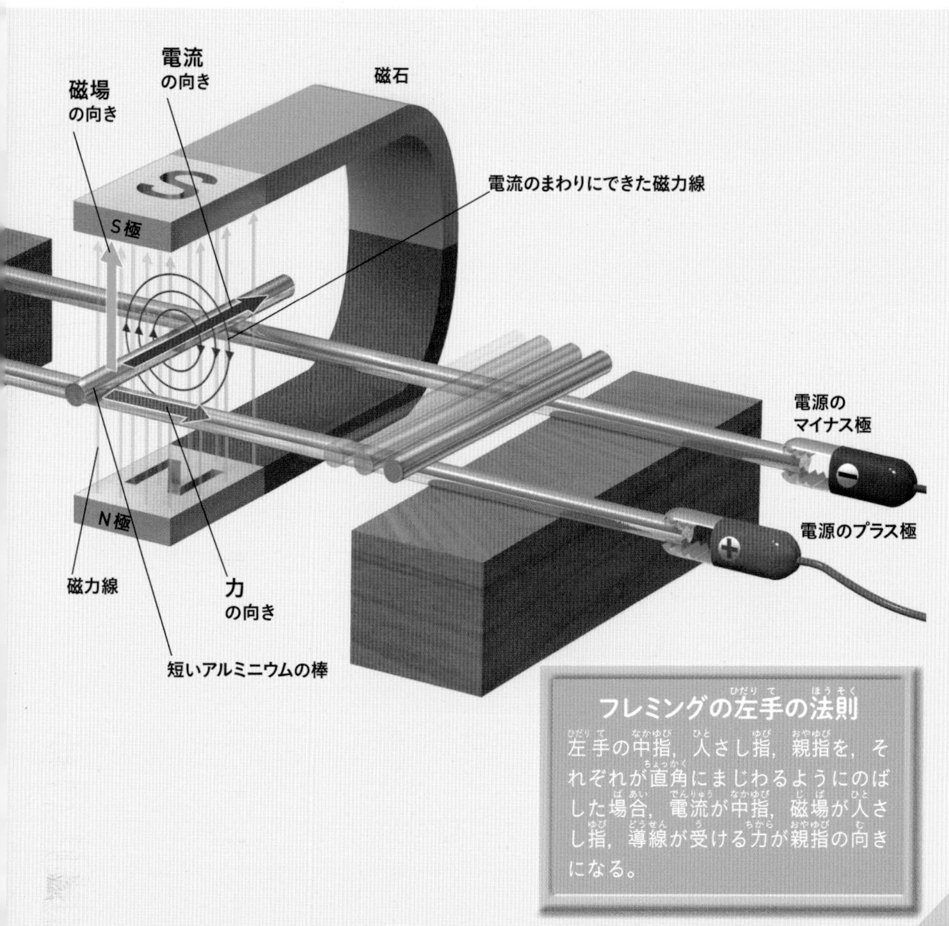

5

現代物理学と宇宙の法則

星や惑星などの天体にも，さまざまな法則がひそんでいます。科学者たちは観察と思考を積み重ねて，広大な宇宙のルールをみつけてきました。5章では，20世紀に発展した物理学の原理や法則をおりまぜながら，宇宙の法則を紹介します。

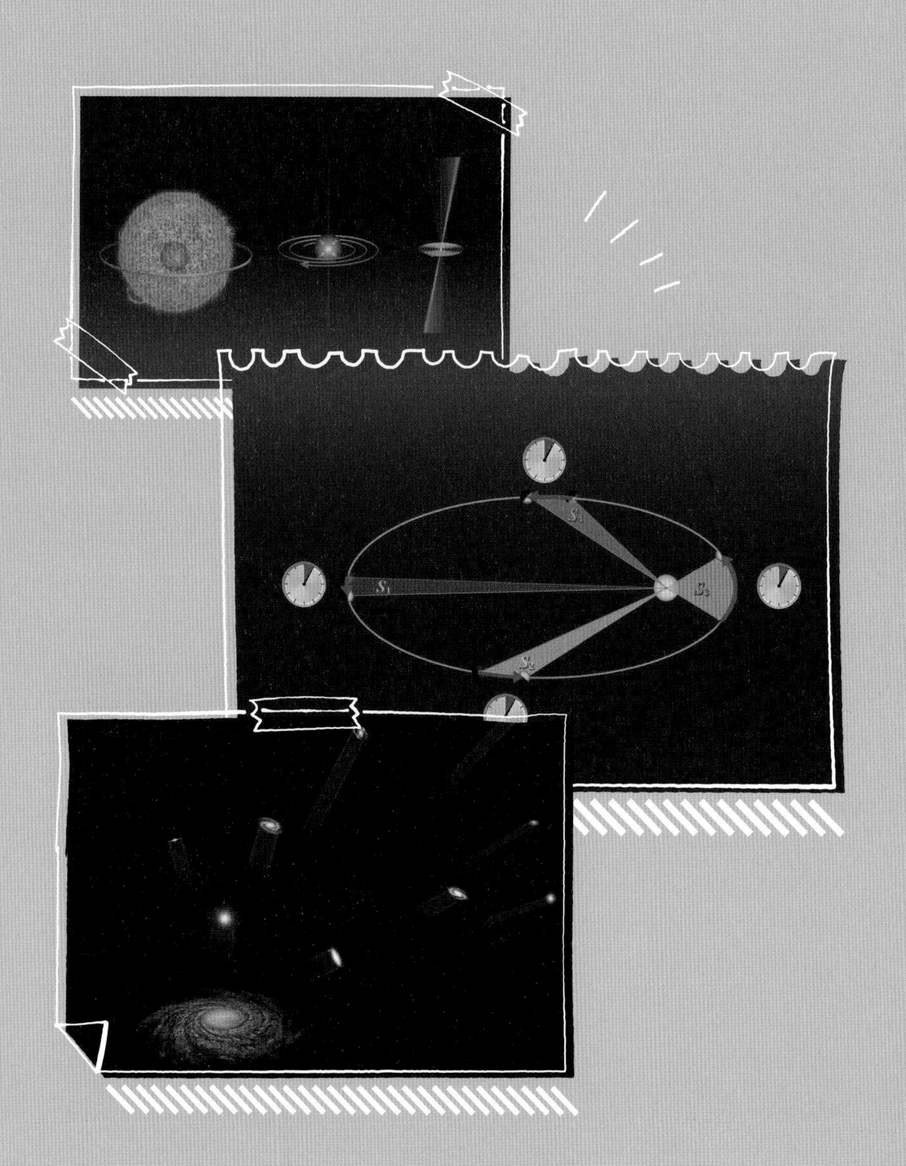
S_1
S_2

アインシュタインの「光速度不変の原理」

真空中の光の速さは，どんな条件のもとでも一定

アインシュタインは，16歳のころ，光について次のような疑問をもちました。「もし，鏡を持ちながら光と同じ速さ※で動いたら，自分の顔は鏡に映るのだろうか」。

自分が止まった状態で動くものを見たときと，自分も動いている状態で動くものを見たときとでは，見え方がことなります。たとえば，時速100キロメートルで走っている自動車を，同じ速度で走りながら横から観察したら，自動車は自分に対して止まって見えます。つまり，「時速100キロメートル（相手の自動車の速度）」－「時速100キロメートル（自分の速度）」＝「時速0キロメートル（相対速度）」となるはずです。

このように考えていくと，光と同じ速さで光を追いかけたとき，光は自分に対して止まって見えそうです。しかし，アインシュタインはそうは思いませんでした。

19世紀の終わりに，電磁気学の理論に登場する「光の速さ」は，だれから見た速さなのか，という問題が物理学者の間で議論されました。アインシュタインは，電磁気学の方程式をそのまま認めて，真空中の光の速さは，だれから見ても一定の値と考えることを提案しました。**つまり光速は，どんな条件のもとでも，観測する場所の速さや光源の運動の速さには関係なく，つねに決まった速度（秒速約30万キロメートル）で一定なのだと考えたのです。**この考えにもとづくと，「鏡を持ちながら光と同じ速さで動いても，自分の顔は鏡に映る」ことになります。

アインシュタインはこのことを「光速度不変の原理」として，科学の理論を考えるうえでの大前提としました。**そしてこの原理から「特殊相対性理論」を打ち立て，時間と空間の常識をくつがえしたのです。**

※：秒速299 792 458メートル。この本では，秒速約30万キロメートルとします。

秒速約30万km（静止したAから見た光の速度）

光

宇宙船内にいるB

宇宙空間で
静止しているA

秒速24万km（静止したAから見た宇宙船の速度）

真空中の光速は だれから見ても一定

秒速24万kmで進む宇宙船内から光を見たとき，光が秒速6万kmに見えるかというと，そうではありません。光の速度は動いている観測者から見ても，静止している観測者から見ても，秒速約30万kmに見えます。

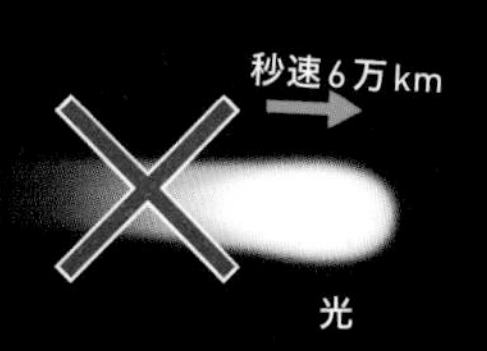

秒速約30万km

光を追いかけても，光の速度は変わらない

光の速度は，通常の足し算・引き算が成立しません。宇宙船がどんな速度で光を追いかけようと，光の速度は変わらず，秒速約30万kmに見えます。

光速は速度の足し算・引き算がなりたたない

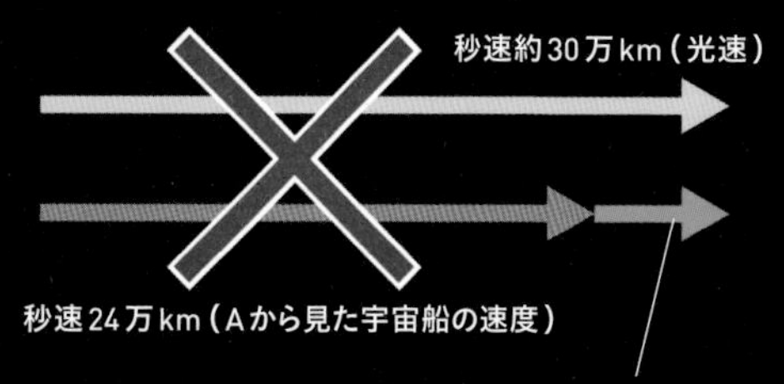

光速度不変の原理

真空中の光の速度は，観測者の速度や光源の運動の速度に関係なく，つねに一定である。

一般相対性理論の土台になった『等価原理』

重力と，加速で生じる力は，区別できない

エレベーターの急な上下動によって，体がふわっと軽くなったように感じたり，ずしんと重くなったように感じたりしたことはありませんか？　この現象を，ニュートン力学では，「慣性力」という実在しない見かけの力で説明します。

しかしアインシュタインは，このような見かけの力の存在は，物理の法則としては美しくないと思いました。**慣性力の正体を考えはじめたアインシュタインは，重力と，加速度運動によって生じる慣性力は，区別ができないもの（等価）であるという結論に至りました。これを，「等価原理」といいます。**

人が入った箱が自由落下する場合を考えてみましょう。箱は下向きに加速度運動をしているので，箱の中では，上向きに慣性力があらわれます。重力の効果は消え，中の人は無重力状態になります。つまり重力は，落下する箱の中では消すことができるのです。

「落下する箱の中では重力が消える」というこの考えを，アインシュタインは「生涯最高のアイデア」と回想しています。等価原理をみちびいたこの考えは，時間と空間と重力の理論である「一般相対性理論」の，重要な土台となりました。

等価原理をみちびく思考実験

窓のない宇宙船が加速しながら進んでいるとします。無重力空間であっても，宇宙船が加速すれば，慣性力によって見かけの重力が生まれます。中の人は，自分の体を下向きに引っ張る力が，天体の重力なのか，それとも慣性力なのかを区別できません。

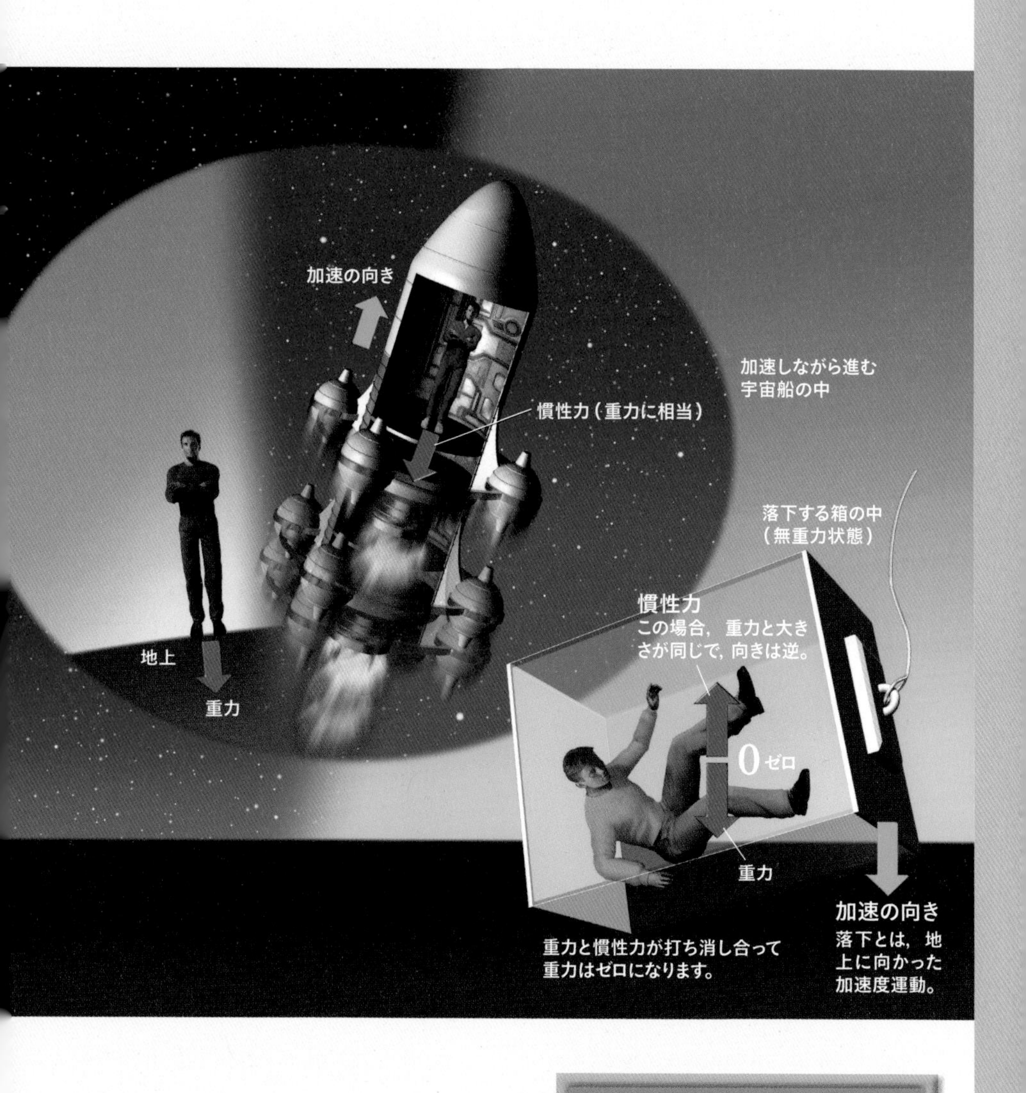

等価原理

重力と，加速度運動によって生じる慣性力は，区別ができないもの（等価）である。

現代物理学と宇宙の法則

特殊相対性理論からみちびかれた『$E=mc^2$』

質量とエネルギーは，入れかわることができる

太陽は，水素やヘリウムの集まりです。太陽にある水素が化学反応で燃えているとすれば，水素の量は数万年で燃えつきるほどしかないといいます。太陽は，なぜ燃えつづけているのでしょうか。

1905年に「特殊相対性理論」を打ち立てたアインシュタインは，同じ年に，「$E=mc^2$」という式を特殊相対性理論からみちびきました。**この式は，質量とエネルギーは，たがいに入れかわることができることを意味しています。**やがて物理学者たちは，「$E=mc^2$」を考慮すれば，太陽が燃えつきない理由を説明できることに気づきました。

太陽の中心部では，4個の水素が融合して，1個のヘリウムになります。このとき水素がもっていた質量の一部は消え去り，引きかえに膨大なエネルギーが生じます。**この核融合反応によるエネルギーを用いれば，太陽は100億年にわたって輝きつづけられることがわかったのです。**

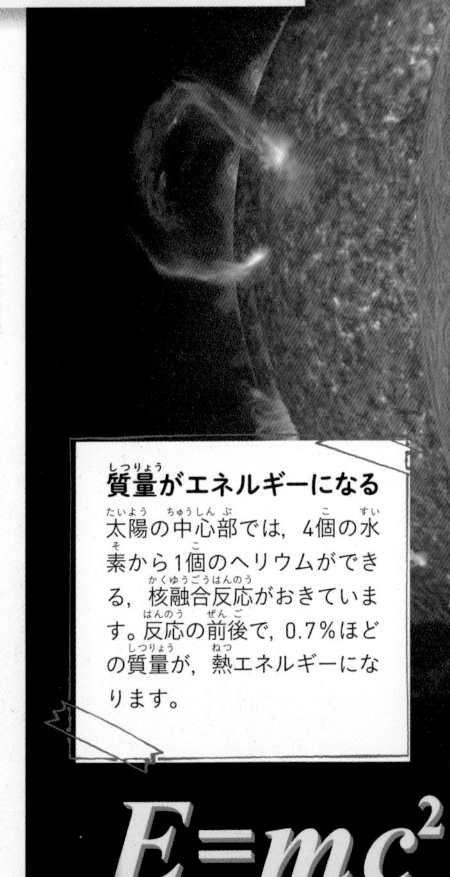

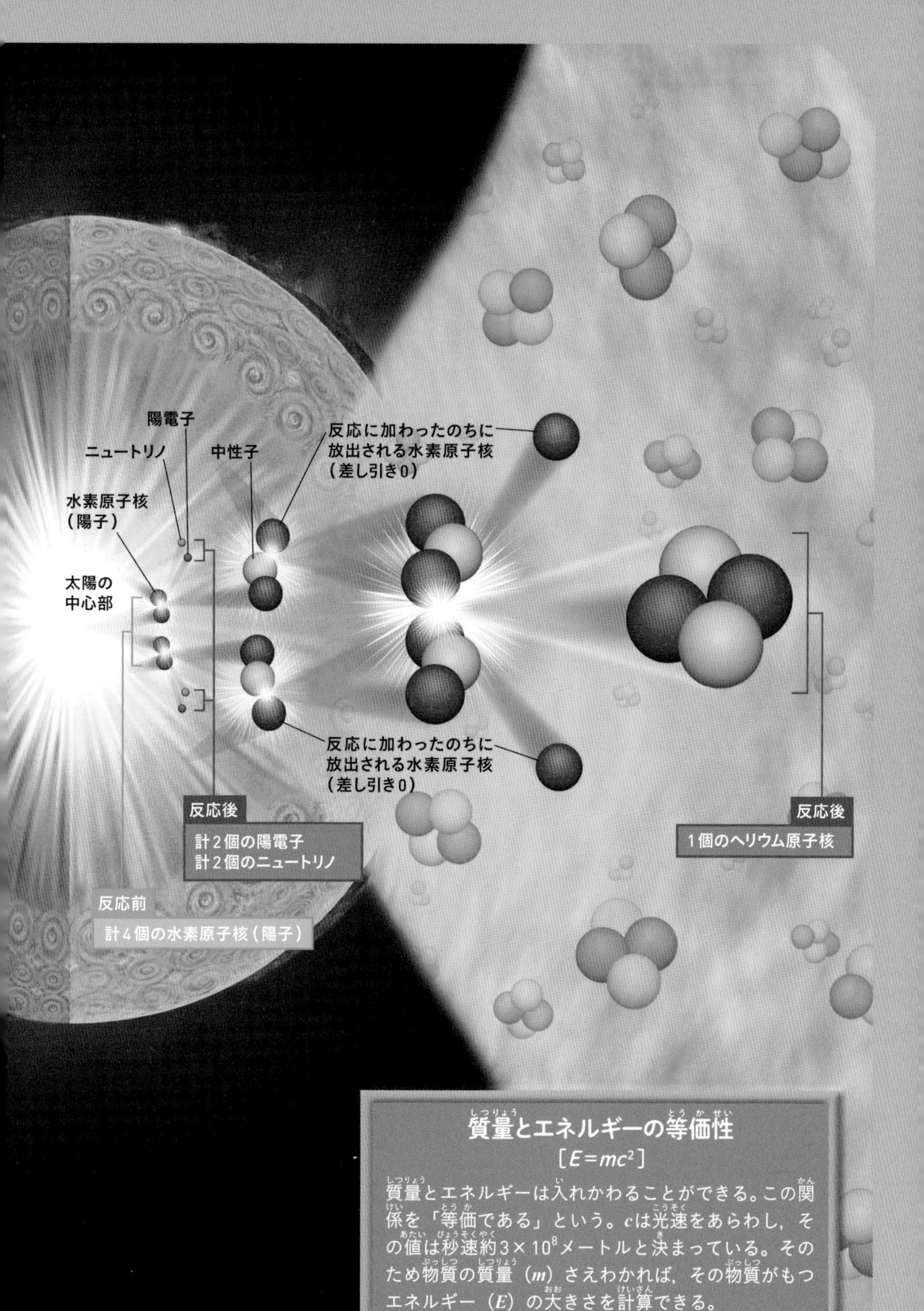

質量とエネルギーの等価性

［$E=mc^2$］

質量とエネルギーは入れかわることができる。この関係を「等価である」という。cは光速をあらわし，その値は秒速約3×10^8メートルと決まっている。そのため物質の質量（m）さえわかれば，その物質がもつエネルギー（E）の大きさを計算できる。

Column

コーヒーブレーク

相対性理論のもとになった「ガリレイの相対性原理」

17世紀,「天動説」を支持する学者たちは「地動説」に対して,次のように主張しました。「地球が動いているなら,地球上で投げ上げた球は,自分の手元にはもどってこないはずだ」。

これに対して,地動説を支持するガリレオ・ガリレイは,次のように反論しました。**「止まっている船の上でも動いている船の上でも,球を落とすと球は真下に落ちてくる」。これを「ガリレイの相対性原理」といいます。**

実際には,船が加速していたり,ゆれていたりする場合は,球は真下に落ちません。つまり,ガリレイの相対性原理は,静止か等速直線運動している状態でしか成立しないのです。

アインシュタインはこの原理を拡張させ,「等速運動している場所では,すべての物理法則が静止した場所と同じようになりたつ」と考えました。これを「アインシュタインの相対性原理」といい,特殊相対性理論の出発点になりました。

動いている電車の中で球を投げ上げると?

一定の速さで走りつづける(等速直線運動をする)電車の中で球を投げ上げると,球は手元にもどってきます。しかし,電車がゆれたり急ブレーキがかかったりしたときには,手元にもどりません。座席に座った人は電車といっしょに前方へ加速されるのに対して,空中にある球は電車から力を受けずに取り残されるからです。

太陽
地動説
太陽のまわりを公転する地球

ロケットが宇宙を飛べる理由「運動量保存の法則」

後方にはきだしたガスの運動量と同じ大きさの運動量で前進する

うしろ向きの運動量がないと，前には進めない

質量（*M*）の大きなロケットを前向きに速度*V*で進めるためには，質量（*m*）の小さいガスを大きな速度*v*でうしろ向きにはきだす必要があります。

小さな質量

m

うしろ向きの速い速度

v

ガスになった分の燃料

mv

$$0 = mv + MV$$

動く前の運動量は0

動いたあとでも運動量の合計は0

ガスの運動量
（ロケット全体の運動量と等しい大きさ）

運動量は，「物体の質量（m）×速度（v）」であらわされる量です。速度は方向があるため，運動量にも方向があります。**そして「物体がもつ運動量の合計は，外から力を加えないかぎり変わらない」というのが，「運動量保存の法則」です。**この法則は，ニュートンによって厳密に証明されました。

運動量保存の法則を知らなければ，宇宙飛行はできません。宇宙空間に静止したロケットの運動量はゼロで，そのままでは宇宙船は進みません。前に進むためには，燃料を燃やしたガスを後方へはきだして，ガスに「うしろ向きの運動量」をもたせます。

ロケットがはじめに静止していれば，ロケットとガスの運動量の合計はゼロのまま保たれます。**したがって，動くロケットの運動量は，はきだしたガスの運動量とちょうど同じ大きさで，その向きはガスとは逆の前向きになります。**その結果，ロケットは前に進むのです。

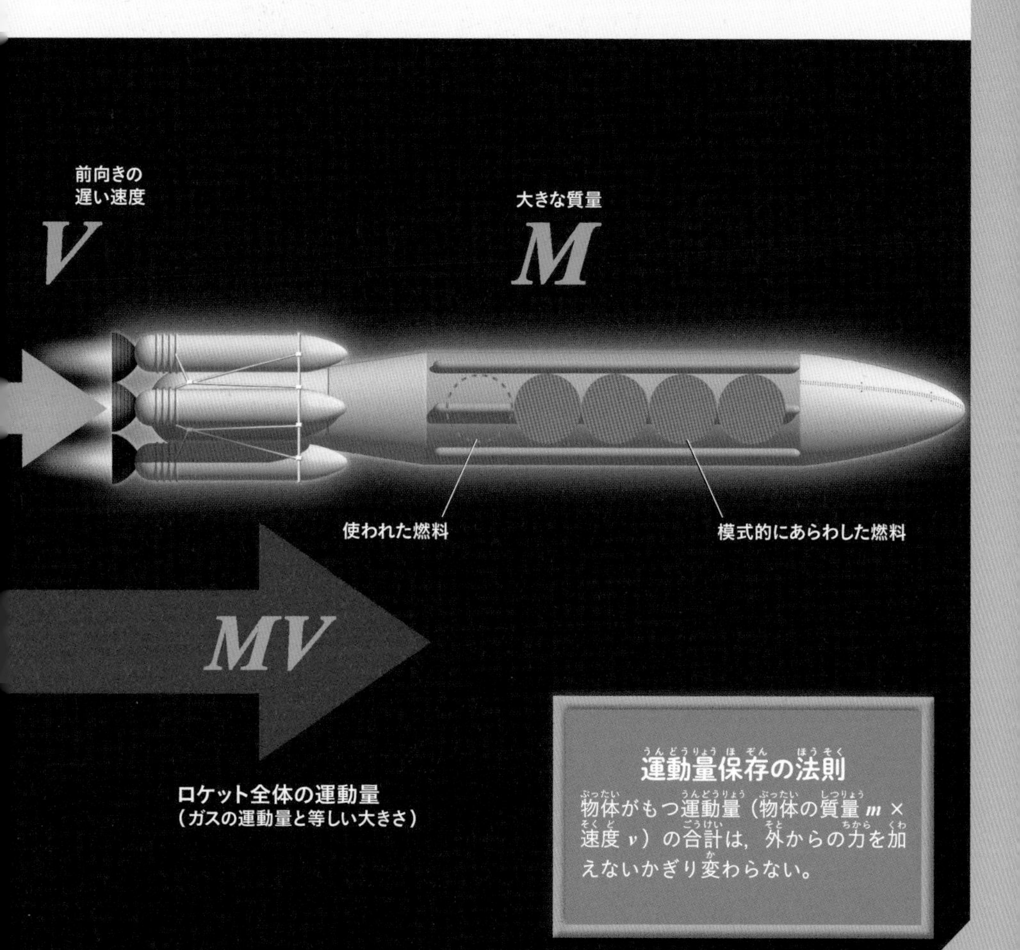

高速スピンのしくみがわかる「角運動量保存の法則」

物体が小さくちぢむと回転速度が速くなる

フィギュアスケートと同じ法則で，高速スピンする天体

太陽の8～25倍の質量をもつ恒星が一生を終えて燃えつきるとき，中心部が急激にちぢみます。恒星の中心部には鉄が集まった中心核があり，ちぢむときに鉄の層の内部に中性子の“芯”ができます。こうして誕生する中性子星は，一般に半径10キロメートルほどと小さいながらも，太陽と同程度の質量をもちます。大きな質量が自転軸の近くに集中するため，自転がきわめて速くなるのです。

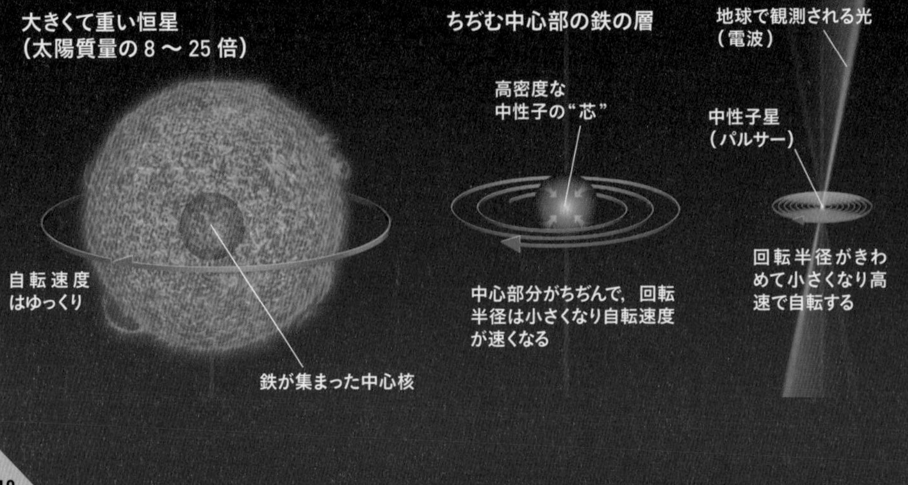

大きくて重い恒星
（太陽質量の 8 ～ 25 倍）
自転速度
はゆっくり
鉄が集まった中心核
ちぢむ中心部の鉄の層
高密度な
中性子の“芯”
中心部分がちぢんで，回転
半径は小さくなり自転速度
が速くなる
地球で観測される光
（電波）
中性子星
（パルサー）
回転半径がきわ
めて小さくなり高
速で自転する

1967年，奇妙な天体が発見されました。その天体は，1秒余りの周期で，規則正しく点滅して（パルスを放って）いたのです。

「パルサー」と名づけられたこの天体の正体は，当時なぞでした。ある方向にだけ光を放つ天体が自転していて，光を放つ方向が地球を向いたときにだけ光って見えると考えれば，点滅していることの説明はつきます。しかし問題は，自転のスピードが速すぎることでした。あまりに速く自転すると，遠心力のために恒星は形を保てないはずです。

このなぞを解くかぎが，「角運動量保存の法則」です。この法則によると，回転する物体がちぢむ（回転半径が小さくなる）と，物体の回転速度は速くなります。物が小さくちぢめば，その自転は速くなるのです。

パルサーの正体は，小さな「中性子星」でした。中性子星は重力が大きく，光速回転しても遠心力でこわれません。

質量　回転速度　回転半径　一定

$$m \times v \times r = const.$$

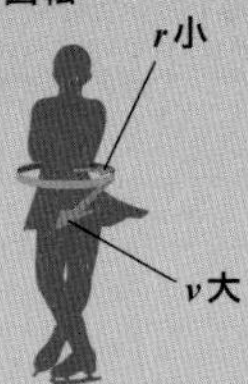

角運動量とは？

「角運動量」は，「物体の質量（m）×回転軸まわりの速度（v）×回転半径（r）」で計算される，「回転のいきおい」です。回転させる力が外から加わらなければ，角運動量は一定になります（角運動量保存の法則）。フィギュアスケートの高速スピンも，角運動量保存の法則を利用しています。腕を胸の近くにたたんだり真上にのばしたりすると，回転半径は小さくなり，回転速度が大きくなります。

角運動量保存の法則

［$m \times v \times r = const.$］

物体の質量（m），回転速度（v），回転半径（r）の三つの積は一定である。質量（m）が変わらない場合，回転半径（r）が小さくなるほど回転速度（v）は速くなる。逆に，回転半径が大きくなるほど回転速度は遅くなる。

エネルギーの源を説明する「エネルギー保存の法則」

エネルギーは，たがいにうつり変われる

自然界には，熱エネルギーや光のエネルギーなど，さまざまなエネルギーがあります。**これらのエネルギーは，たがいにうつり変わることができます**。たとえば，スピーカーは電気のエネルギーを使って音のエネルギーを生みだします。私たちの体も，食べ物のエネルギーから体を動かす力を得ています。

エネルギーは，何もないところから新たに生まれたり，消え去ったりすることはありません。たとえば，地球では大陸が動き，しばしば巨大な地震がおきます。こうした大地の変動を引きおこす原動力は，地球の内部にたくわえられた膨大な熱エネルギーです。そして，この熱エネルギーにも“おおもと”があります。

このように，エネルギーがうつり変わっても総量は増減せず，つねに一定であることを「エネルギー保存の法則」といいます。

微惑星が衝突

地球のエネルギーの“おおもと”は?

今から約46億年前，直径数キロメートルほどの「微惑星」が衝突・合体することで，地球は誕生しました。微惑星のもっていたさまざまなエネルギーの一部が，現在の地球内部にたくわえられた熱エネルギーの源です。

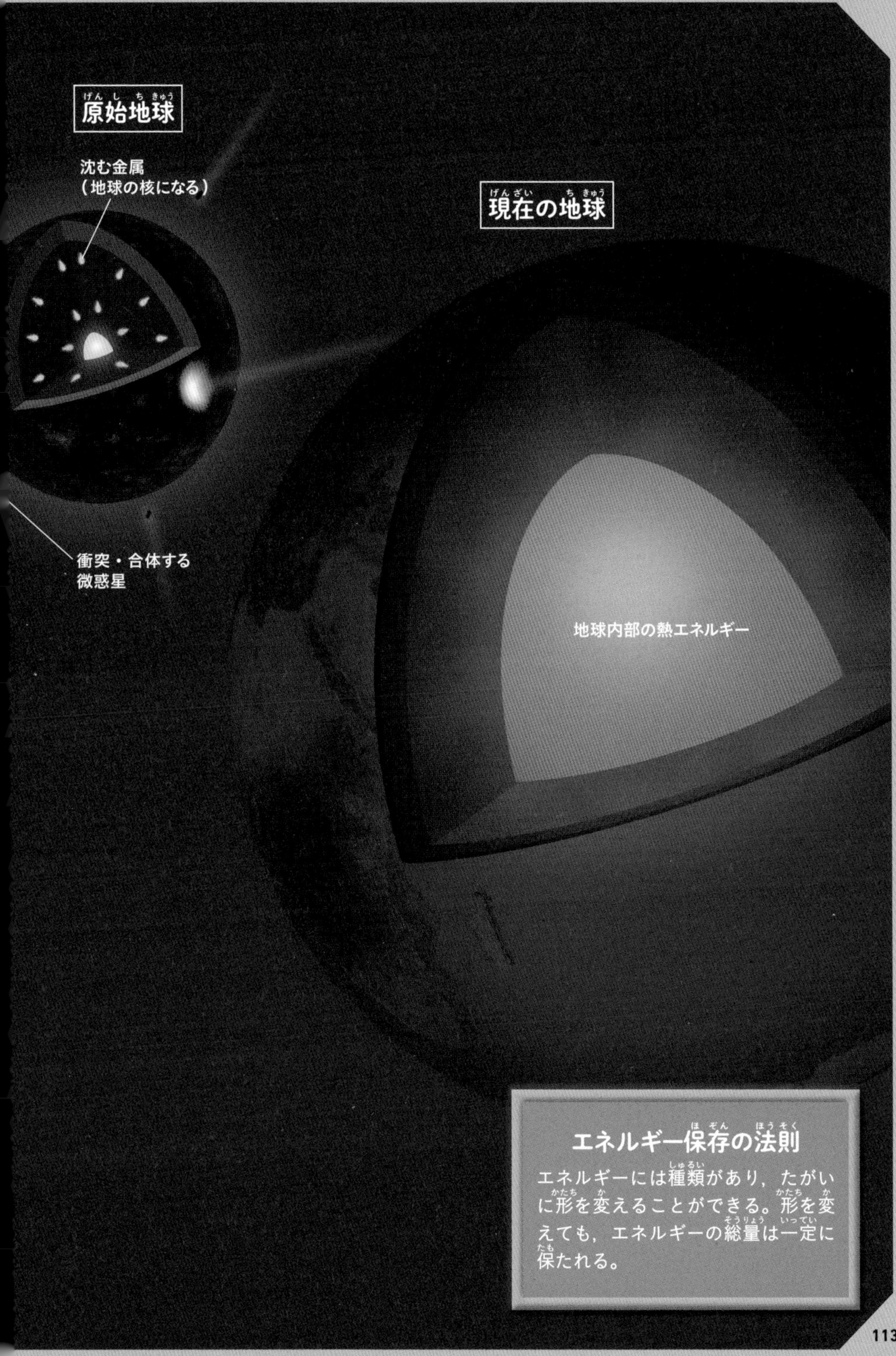

原始地球

沈む金属
（地球の核になる）

衝突・合体する
微惑星

現在の地球

地球内部の熱エネルギー

エネルギー保存の法則

エネルギーには種類があり，たがいに形を変えることができる。形を変えても，エネルギーの総量は一定に保たれる。

偏りのない状態に変化する「エントロピー増大の法則」

あらゆるものごとは，均一になりたがる

エントロピーは増大する

箱の中に熱い飲み物を置いたときの，温度の偏りの変化をえがきました。お茶の温度と箱の中の空気の温度は，どんどん近づいていき，時間がたつと箱の中の温度の偏りはなくなります（エントロピーは増大します）。

熱い飲み物はやがて冷め，ひとりでに温まることはありません。こうした一方向への流れは,「エントロピー増大の法則」によって説明されます。

エントロピーとは,「偏りのなさ」をあらわす概念です。この法則は，偏りのない状態へ向かうしかないことを意味しています。飲み物の例でいえば，飲み物と部屋の温度が均一になる方向にしか変化しないのです。

エントロピー増大の法則によれば，ものごとは，偏った状態へは変化しないはずです。しかし宇宙空間では，熱い恒星や複雑な構造の銀河などが生まれつづけています。これは一見，エントロピー増大の法則に反しているように思えます。

実は，宇宙という壮大な箱の中では，局所的に偏った状態が生じることがあります。それでも宇宙全体では，エントロピーは増大しているのです。

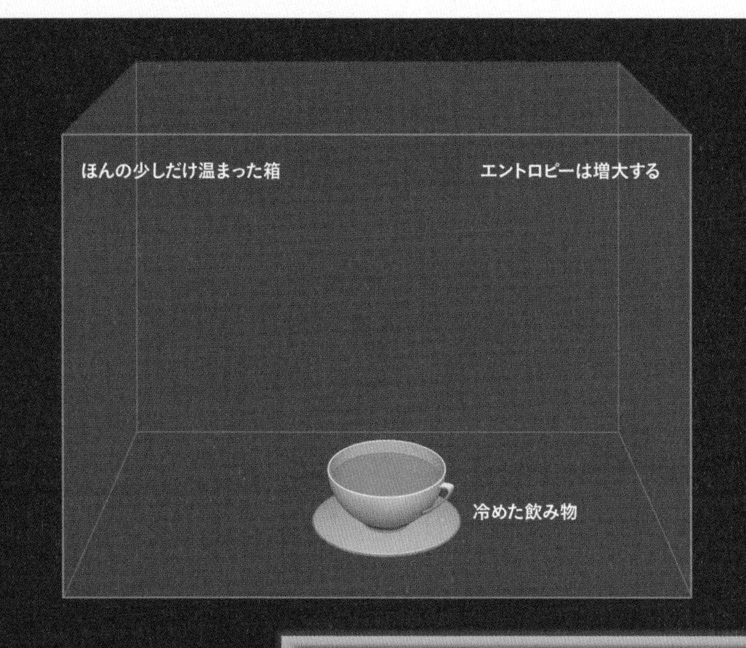

エントロピーの変化量

$$\Delta S \geqq 0$$

エントロピー増大の法則

［$\Delta S \geqq 0$］

エントロピーは，S とあらわされる。Δ（デルタ）は，変化後のエントロピーから変化前のエントロピーを引いた差を意味する。その差が正の値になるということは，変化後のエントロピーは変化前よりふえている（＝偏りのなさがふえている）ということである。

Column

コーヒーブレーク

ミクロな世界では，原理も“あいまい”？

位置と運動量の不確定性原理

電子を例に，位置と運動量の不確定性原理をえがきました。電子の運動方向を正確に決めると位置が不確かになり（**1**），電子の位置を正確に決めると運動方向が不確かになります（**2**）。

1 電子の運動方向を正確に決めると，位置が不確かになる

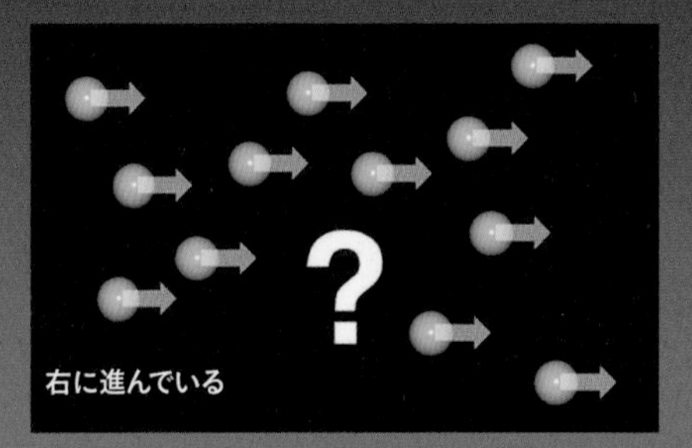

電子がどこに存在するかわからない（電子は同時に多くの場所にいる）

2 電子の位置を正確に決めると，運動方向が不確かになる

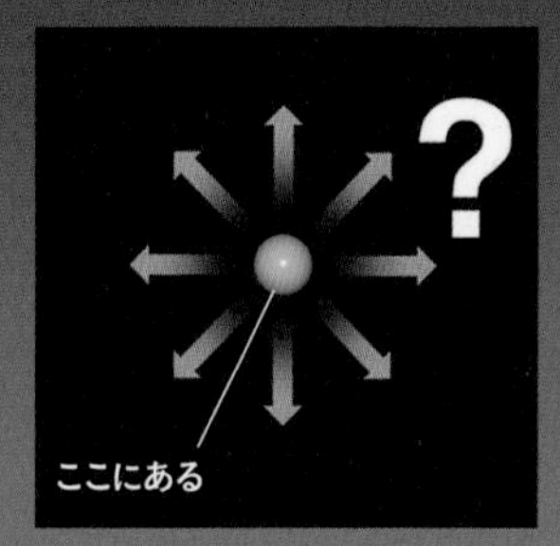

電子の運動方向がわからない（電子はさまざまな方向に同時に運動している）

ミクロな世界の物理法則を，「量子論」といいます。ミクロな世界では，私たちの常識ではとても考えられないような，奇妙なことがおきています。

たとえば光や電子は，波と粒子の二つの性質をもちます。波は広がり，粒子は特定の1点に存在するものです。この相いれない二つの面をあわせもっているのです。

ミクロな世界は，“あいまいな世界”でもあります。その性質をあらわす一つが，「不確定性原理」です。**不確定性原理は，一つの情報を正確に決めると，もう一つの情報を正確に決めることができなくなるという原理です。**たとえば，ミクロな世界では粒子の位置と運動方向（正確には運動量）を，同時に正確に決めることはできません。これを，「位置と運動量の不確定性原理」といいます（左下の図）。

$$\Delta x \times \Delta p \geqq \frac{h}{4\pi}$$

Δx は位置の不確定さの幅，Δp は運動量の不確定さの幅，hは定数［$h=6.6\times10^{-34}$J・s］。この式から，位置の不確かさを小さくすると，不等号を成立させるために運動量の不確かさが大きくなることがわかります。

不確定性原理

ミクロな世界では，一つの情報を正確に決めると，もう一つの情報を正確に決められなくなる。

惑星の動きを説明する『ケプラーの法則』

惑星の動きを正確に説明する三つの法則

惑星の公転速度を支配するケプラーの第２法則

惑星は，太陽から最も遠い地点はゆっくり通過し（1），太陽に最も近い地点は速く通過します（2）。惑星と太陽を結んだ直線が一定時間にえがく扇形の面積は，同じです（3）。これがケプラーの第2法則です。

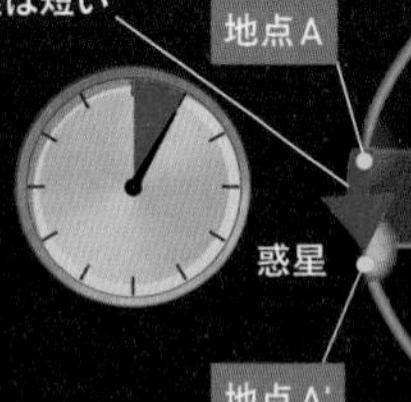

3. 一定時間にえがく扇形の面積は，軌道のどこでも同じ

$$S_1 = S_3 = S_2 = S_4$$

A〜A' での面積　C〜C' での面積　B〜B' での面積　D〜D' での面積

ドイツの天文学者ヨハネス・ケプラー（1571～1630）は，「惑星の運行」にひそむ法則をみつけようと，データを解析しました。

火星の観測データを調べたケプラーは，「惑星と太陽を結んだ直線が，一定時間にえがく扇形の面積は等しい」という法則（ケプラーの第2法則）をみつけました。ところが，この法則と観測データから計算される火星の軌道は，どうしても完全な円軌道には一致しません。**試行錯誤の末，ケプラーは，円軌道がまちがいであることに気づき，「惑星の軌道は楕円」であること（ケプラーの第1法則）を発見しました。**

その後ケプラーは，「惑星が太陽を1周する時間の2乗は，楕円軌道の長いほうの半径の3乗に比例する」という法則（ケプラーの第3法則）も発見しました。

複雑に見えた惑星の動きを正確に説明する三つの法則が，ケプラーの法則です。

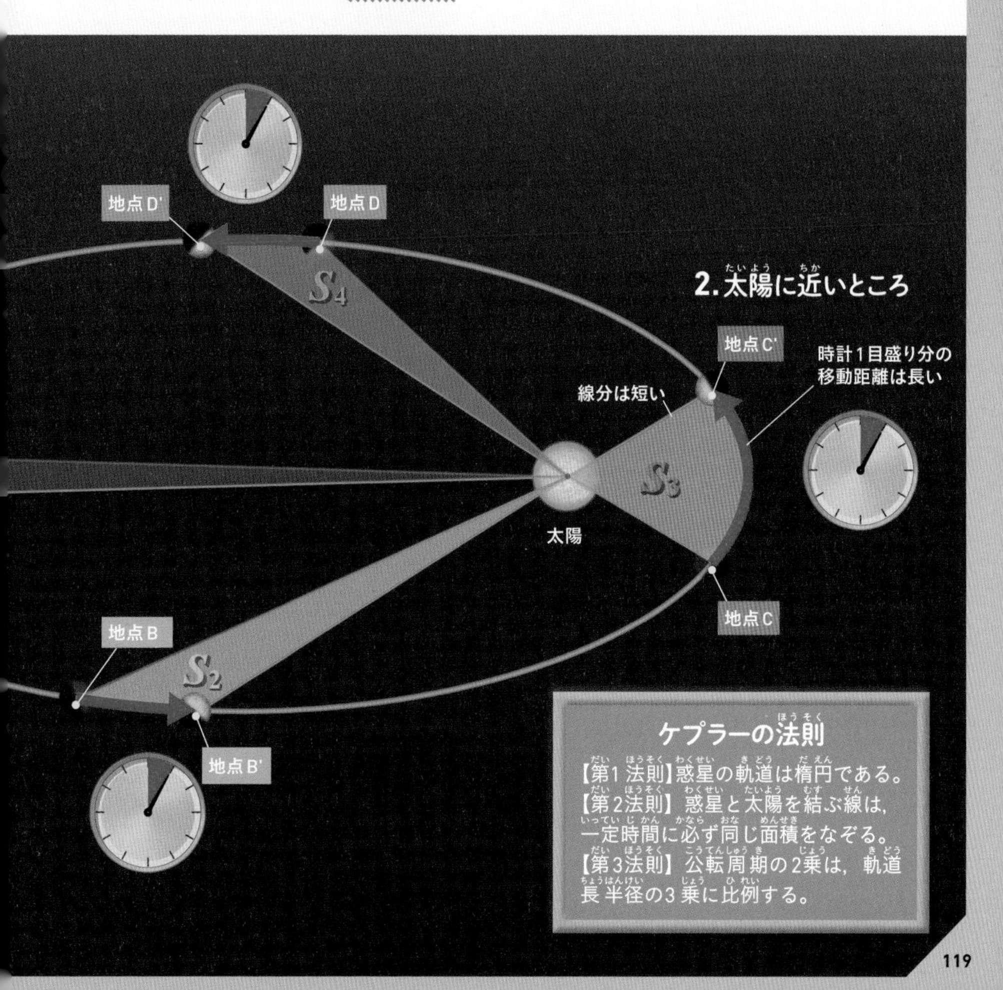

ニュートンが発見した「万有引力の法則」

あらゆる物体はたがいに引き合っている

ニュートンは1687年に，「万有引力の法則」を発表しました。**万有引力の法則によれば，リンゴも月も地球も，あらゆる物はたがいに引き寄せる力をおよぼし合っています**。したがって，リンゴと地球が引き寄せ合うのと同じように，月と地球も引き寄せ合っているのです。月が地球に落ちてこないのは，時速約3600キロメートルという猛スピードで，地球のまわりを休まずにまわっているためです。

万有引力とは，文字どおり「万物が有する引き合う力」を意味します。テーブルの上にはなして置いた二つのリンゴも，微弱な万有引力によって引き合っています。**ただ，その力はあまりに弱いため，万有引力の効果は，地球上ではほとんどみることができません**。しかし無重力状態で真空の宇宙空間なら，はなして置いた二つのリンゴはいずれくっつくのです。

天と地の物理学を統一した万有引力の法則

ニュートンより前の時代は，月や太陽，惑星などが存在する天上の世界と，地上の世界とは，物理法則がことなると考えられていました。ニュートンは，その常識をくつがえしたのです。

万有引力の法則

物体1の質量　物体2の質量

$$F_G = G\frac{m_1 m_2}{r^2}$$

万有引力　万有引力定数

物体間の距離

月

万有引力

万有引力の法則

$[F_G = G\frac{m_1 m_2}{r^2}]$

二つの物体間にはたらく万有引力は，物体の質量に比例し，物体間の距離の2乗に反比例する。

テーブルの上の二つのリンゴも
万有引力で引き合っています。

摩擦力が万有引力を打ち消すので，
リンゴどうしは接近しません。

物体が放つ色で温度がわかる「ウィーンの変位則」

恒星の色を見ればその温度がわかる

ドイツの物理学者ウィルヘルム・ウィーン（1864～1928）は，通常の温度計が使えない物体でも，その色を見れば温度がわかるのではないかと考えました。

ウィーンは，観察と研究の末に「物体の温度は，それが放つ最も強い光の波長に反比例する」という「ウィーンの変位則」をみつけました。それによれば，物体の表面温度は，放たれる最も強い光の波長が短いほど高く，長いほど低いことになります。**つまり，恒星の色からその表面の温度が計算できるのです。**

「冬の大三角」とよばれる星があります。この三つのうち最も熱い星は青白く輝くおおいぬ座の「シリウス」で，表面温度は約1万℃とされます。次いでこいぬ座の黄色い「プロキオン」が約6200℃（≒太陽），オリオン座の赤い「ベテルギウス」が約3300℃ほどだとされます。

星の色を見れば温度がわかる

光の波長が短く青白い星ほど表面温度は高く，波長が長く赤い星ほど温度は低くなります。

注：物体が放つ光には，さまざまな波長の光が含まれており，波長ごとに光の強さはちがいます。また，ウィーンの変位則に登場する温度の単位は，ふだん使う摂氏温度（℃）ではなく，絶対温度（K）です。

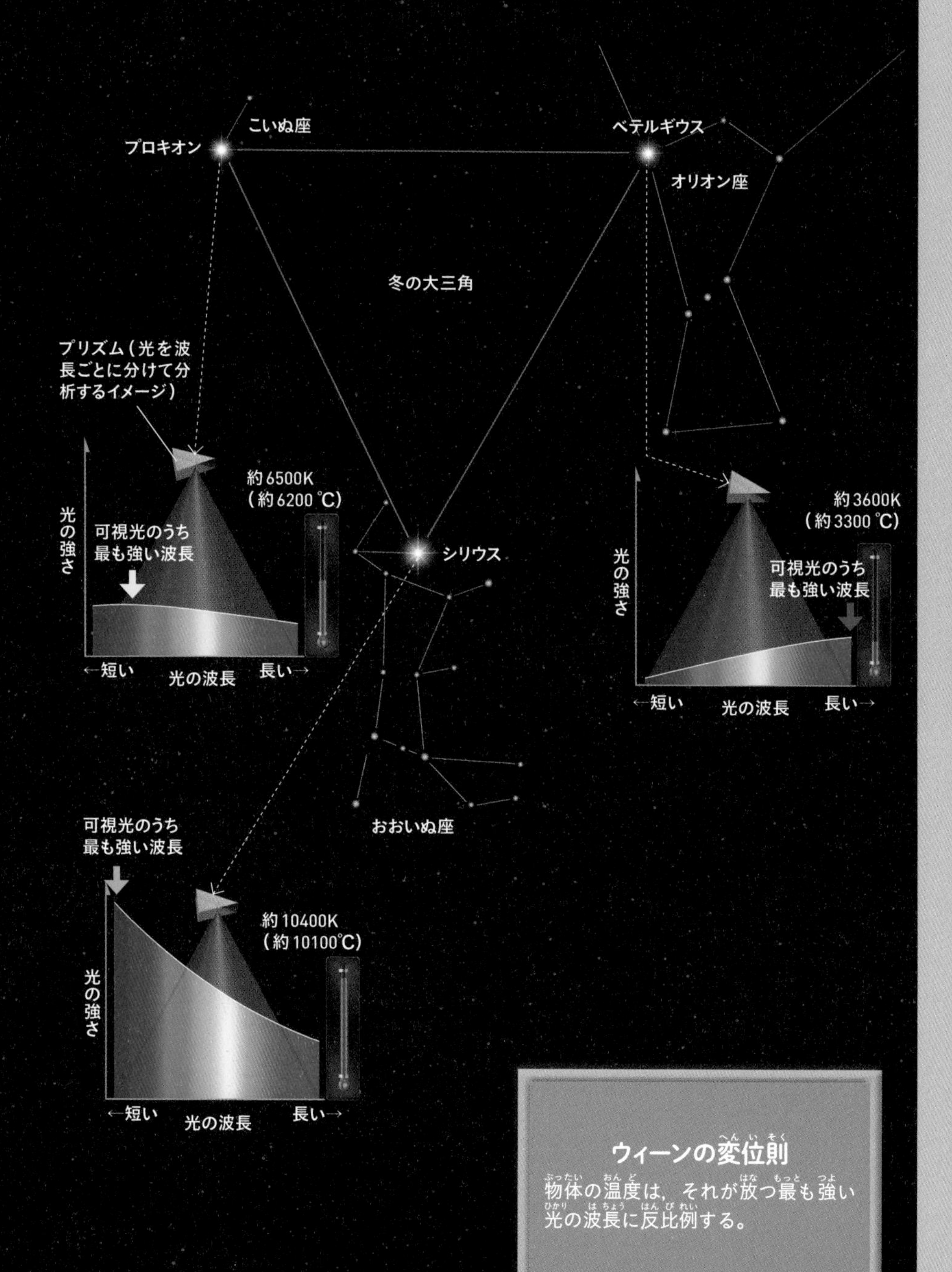
こいぬ座
プロキオン
ベテルギウス
オリオン座
冬の大三角
プリズム（光を波長ごとに分けて分析するイメージ）
約6500K
（約6200℃）
光の強さ
可視光のうち最も強い波長
←短い
光の波長
長い→
シリウス
約3600K
（約3300℃）
光の強さ
可視光のうち最も強い波長
←短い
光の波長
長い→
おおいぬ座
可視光のうち最も強い波長
約10400K
（約10100℃）
光の強さ
←短い
光の波長
長い→
ウィーンの変位則
物体の温度は，それが放つ最も強い光の波長に反比例する。

宇宙の膨張を発見した『ハッブル-ルメートルの法則』

遠い銀河ほど，速く遠ざかっている

アメリカの天文学者エドウィン・ハッブル（1889～1953）は，天の川銀河の外にある銀河を観測して，その色を記録しました。ハッブルは速く遠ざかる天体ほど，より赤く見える性質を利用して，遠い銀河ほど速い速度で遠ざかっているという事実を明らかにしました。

そのハッブルに先だって，ベルギーの，神父であり宇宙論学者でもあったジョルジュ・ルメートル（1894～1966）は，アインシュタインの一般相対性理論を使って宇宙膨張を証明しました。

この関係を数式にしたものが「ハッブル-ルメートルの法則」です。特定の銀河だけが遠ざかっているのではなく，遠くのあらゆる銀河は，天の川銀河から遠ざかっているのです。

この法則は，宇宙全体が引きのばされつつあるために，銀河どうしが遠ざかっていることを説明しています。こうして私たちは，宇宙が膨張していることを知ったのです。

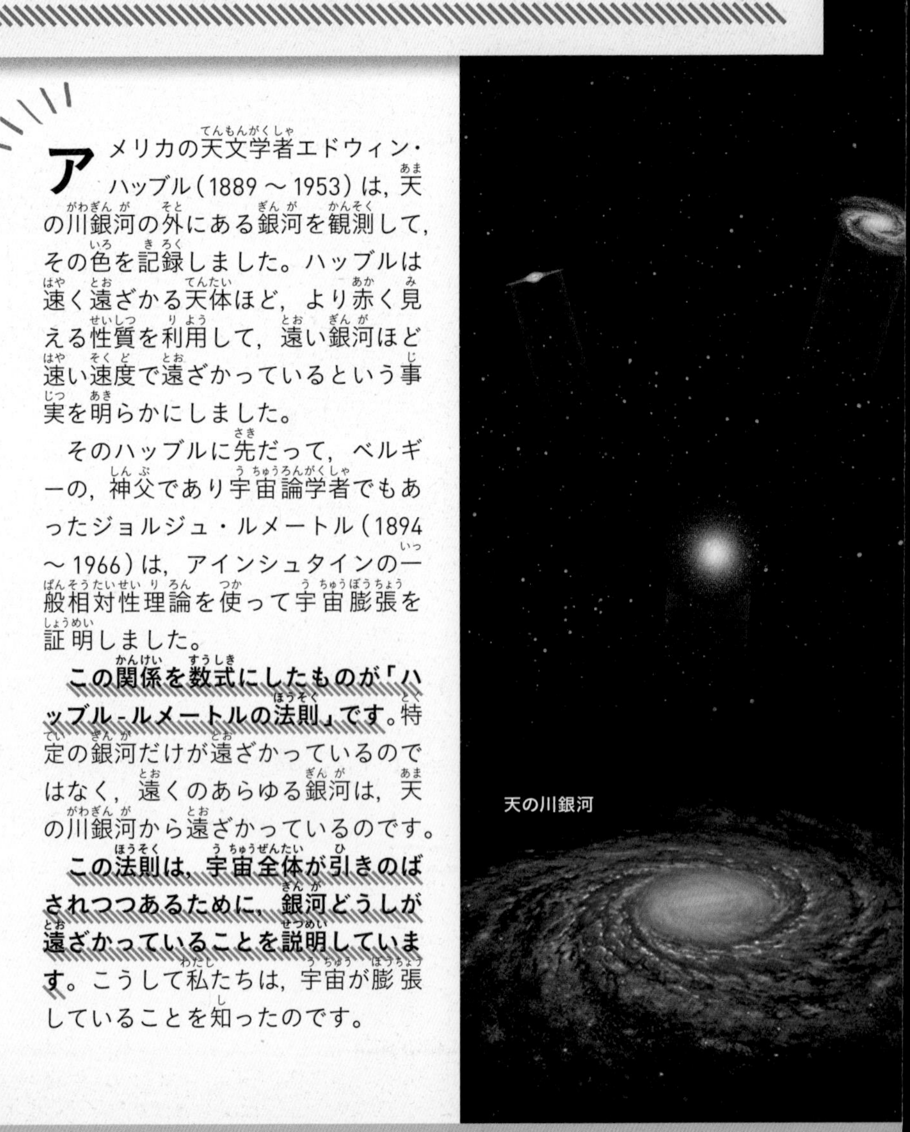
天の川銀河

速く遠ざかる
遠くの銀河

銀河までの距離が２倍なら，遠ざかる速度も２倍

左下の天の川銀河からの距離が遠い銀河ほど，遠ざかる速度が速くなります。銀河までの距離が2倍であれば遠ざかる速度も2倍，距離が3倍であれば速度も3倍になるという比例関係があります。

ゆっくり遠ざかる
近くの銀河

$$v = H_0 \times r$$

銀河が遠ざかる速度　ハッブル定数　銀河までの距離

ハッブル－ルメートルの法則

［$v=H_0 \times r$］

銀河までの距離（r）が遠いほど，遠ざかる速度（v）は速い。この比例関係の係数が，ハッブル定数（H_0）である。

6

化学と生物の法則

私たちの生活は，化学によって支えられています。原子や分子は，大気圧や温度といった周囲の条件と関連した法則をもちます。また，生物の遺伝や体内のしくみも，法則に支配されています。6章では，化学と生物の法則を紹介します。

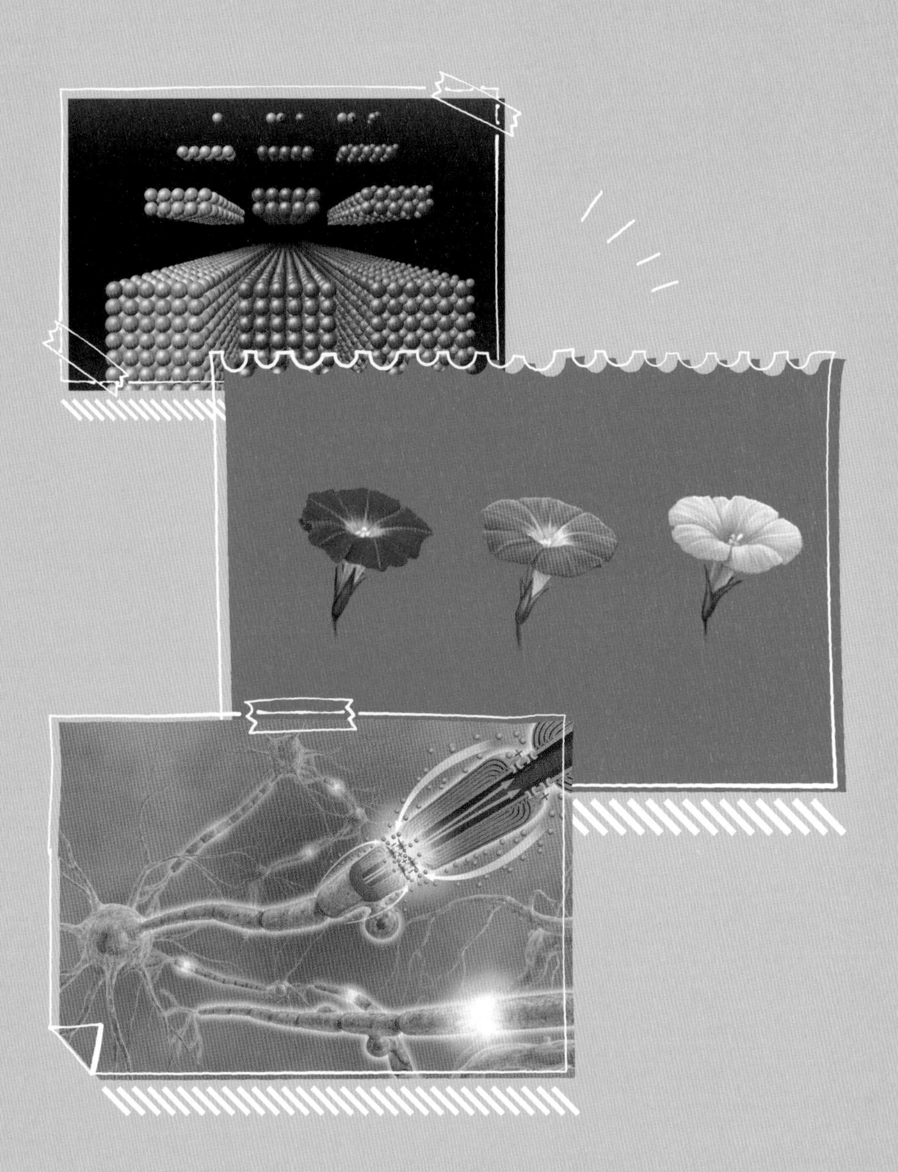

気体の体積と分子の数の関係「アボガドロの法則」

温度と圧力が一定なら，同じ体積中の気体分子の数は一定

原子の質量は種類によってちがい，大きさもきわめて小さいため，その質量を実際の数値であらわすのは実用的ではありません。そこで炭素原子の質量を12として，これを基準に各原子の質量を比であらわす方法がとられています。これを「原子量」といいます※。水素の原子量は1，酸素は16となります。

原子や分子をあらわす単位は，「モル」です（24ページ）。1モルは，原子や分子が6.02214076×10^{23}個集まったものです。6.02214076×10^{23}は「アボガドロ数」といい，それだけの個数の原子や分子が集まると，その集団の質量（単位はグラム）が原子量や分子量とほぼ等しくなります。たとえば1モルの炭素の質量は，原子量が12なので，約12グラムとなります。

もう一つ，モルには便利なことがあります。「アボガドロの法則」です。**アボガドロの法則は，種類に関係なく，温度と圧力が一定なら，同じ体積中の気体分子の数は一定になるというものです。**このことから，1モルの気体分子は，同温同圧であれば同じ体積になります。標準状態（0℃，1気圧）では，1モルの気体分子，原子の体積は約22.4リットルです。

このように気体の場合，モルは体積の単位としても利用できます。

※：分子は，その分子を構成する原子の原子量を足したものを「分子量」として用います。水（H_2O）の場合，分子量は水素原子の原子量2個分（1×2）と酸素原子の原子量16を足した18となります。

原子の質量は，炭素を基準に比であらわす

原子量は炭素原子の質量を12としたときにあたえられる，各原子の相対的な量です。炭素の数を10個，100個とふやし，炭素の質量が12グラムになったときの個数が，ほぼ6×10^{23}個，つまりアボガドロ数になります。酸素原子や水分子についても，アボガドロ数だけ集まれば，それぞれ16グラム，18グラムとなります。

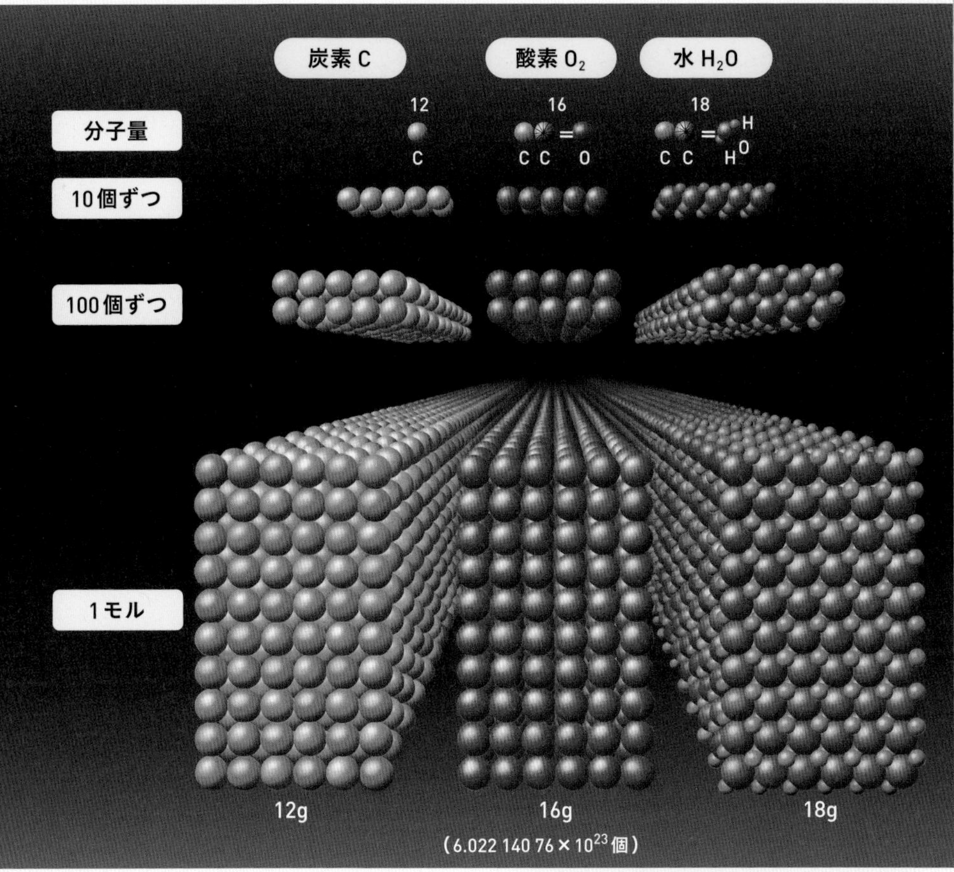

炭素 C
酸素 O_2
水 H_2O
分子量
12
16
18
C
C C O
C C H O H
10個ずつ
100個ずつ
1モル
12g
16g
18g
（$6.022\ 140\ 76 \times 10^{23}$個）

アボガドロの法則

種類に関係なく，温度と圧力が一定なら，同じ体積中の気体分子の数は一定である。

気体のふるまいをあらわす「ボイル・シャルルの法則」

気体の体積は圧力に反比例し，絶対温度に比例する

スナック菓子を高い山に持っていくと，袋がパンパンにふくらむことがあります。このとき，袋の中で何がおきているのでしょう？

袋の中の気体分子は自由に飛びまわっていて，袋の内面に衝突すると，袋をふくらます方向に力をあたえます。一方，袋の外側の空気は，袋をへこませる方向に力をあたえています（大気圧）。袋の中の気体の体積は，内側の圧力と大気圧がつり合うことで決まります。**山の上は，ふもとよりも大気圧が低いため，袋を外から押す力は弱くなります。その結果，山の上では袋の中の体積がふえるのです。**

このような，一定量の気体における体積と圧力の関係をまとめたのが「ボイルの法則」です。この法則によると，温度が一定に保たれているとき，袋の中の気体の体積は圧力に反比例します。つまり，体積が2倍になると圧力は半分になり，逆に体積が半分になると，圧力は2倍になるのです。

気体のふるまいには，温度も深くかかわっています。**温度が上がると分子の運動エネルギーは大きくなり，分子の速度は速くなります。**圧力が一定の状態で気体の温度を下げると，体積は減ります。また，温度が1℃減少するごとに，体積は「0℃のときの体積の約273分の1」ずつ減ります。これを，「シャルルの法則」とよびます。

これら二つの法則をまとめると，「密封された袋の中では，気体の体積は圧力に反比例し，絶対温度に比例する」という「ボイル・シャルルの法則」がみちびかれます。

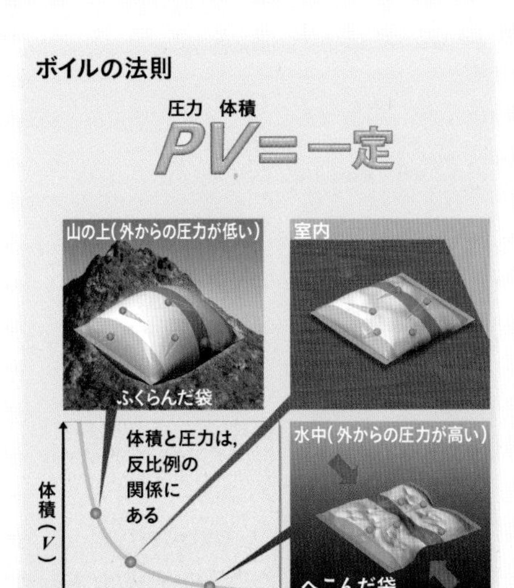

温度を一定に保ったまま圧力が低くなると，体積が大きくなります。

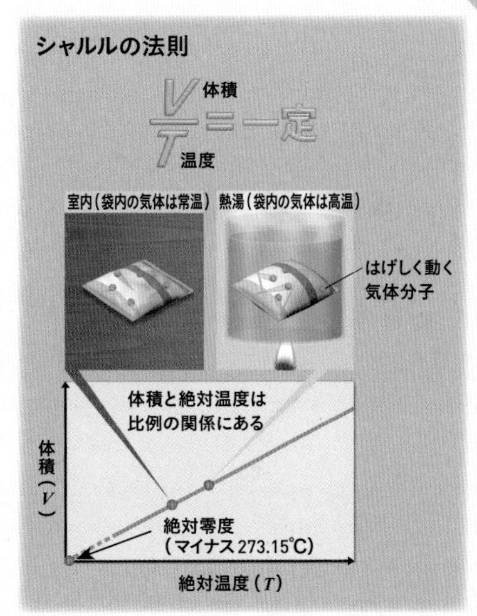

圧力を一定に保ったまま袋の中の温度を上げると，体積がふえます。

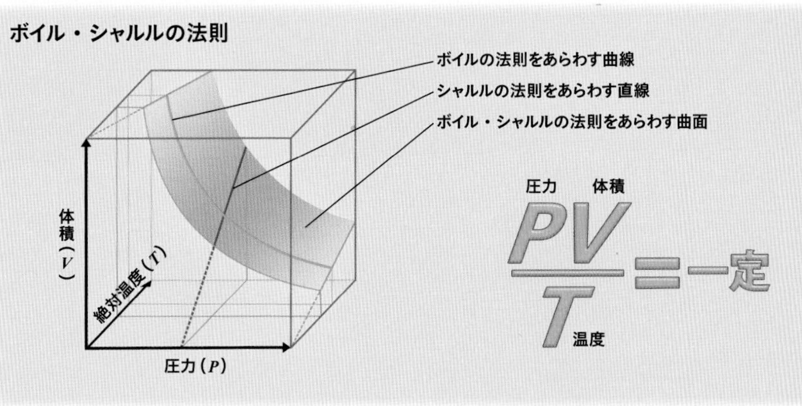

気体の体積は圧力に反比例し，絶対温度に比例します。

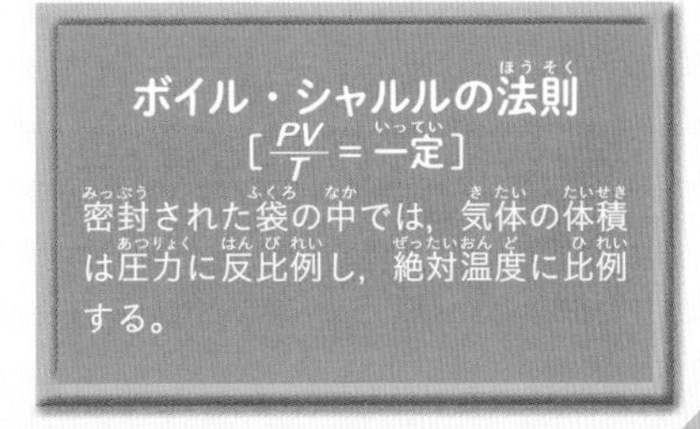

ボイル・シャルルの法則

$\left[\frac{PV}{T}=\text{一定}\right]$

密封された袋の中では，気体の体積は圧力に反比例し，絶対温度に比例する。

遺伝のしくみを説明する『メンデルの法則』

遺伝子は，どのように子孫へ伝わるのか

親から子への「遺伝」の現象をはじめて科学的に検証したのは，オーストリアの植物学者グレゴール・メンデル（1822～1884）です。彼は遺伝子の研究に，エンドウの交配を利用しました。

まずは丸い種子（丸形）をつける純系のエンドウと，しわが寄る種子（しわ形）をつける純系のエンドウで交配を行ったところ，丸形の種子だけができました。さらに交配させて2代目をつくると，丸形としわ形が3：1の割合であらわれました。

丸形の遺伝子を「A」，しわ形の遺伝子を「a」とします。遺伝子は両親から一つずつ受け継ぐため，交配に使った最初の純系のエンドウの遺伝子型は，丸形が「AA」，しわ形が「aa」と考えられます。そして，1代目のエンドウの遺伝子型は，すべて「Aa」です。

「A」と「a」を一つずつもっているのに，すべて丸形になったのは，「A」が形質（性質や特徴）を支配したからです。この場合，丸形を「顕性形質」，しわ形を「潜性形質」といいます。これが「顕性の法則」です。

雑種の2代目の場合，両親の遺伝子は「Aa」なので，配偶子※は「A」と「a」が同じ割合でつくられます。**対立する遺伝子が同じ割合で分かれて配偶子に入ることを，「分離の法則」といいます。**

さらにメンデルは，エンドウの「豆の形（丸形・しわ形）」と「豆の色（黄色・緑色）」という二つの形質が，どのように遺伝するのかを研究しました。その結果，形も色も，顕性の法則と分離の法則にしたがっていました。**そして，それぞれの形質の遺伝のしかたは独立し，たがいに干渉し合うことはありませんでした。**これを，「独立の法則」とよび，多くの生物種でなりたつことが確認されています。

※：花粉または卵細胞。自分の遺伝子を子孫に伝える細胞。

エンドウの遺伝子が子孫に伝わるしくみ

丸形の純系（AA）
しわ形の純系（aa）
父
丸形（純系）の配偶子
しわ形（純系）の配偶子
母
A A
a a
Aa 丸
子（雑種1代目）
1代目の豆からできた配偶子
AA 丸
Aa 丸
aa しわ
孫（雑種2代目）

●：●＝3：1
（AA：Aa：aa＝1：2：1）

顕性の法則にしたがうヒトの特徴

下に，顕性の法則にしたがうヒトの特徴の主なものを示しました。左が顕性形質で，右が潜性形質です。これらの形質にかかわる遺伝子は，まだ特定されていません。

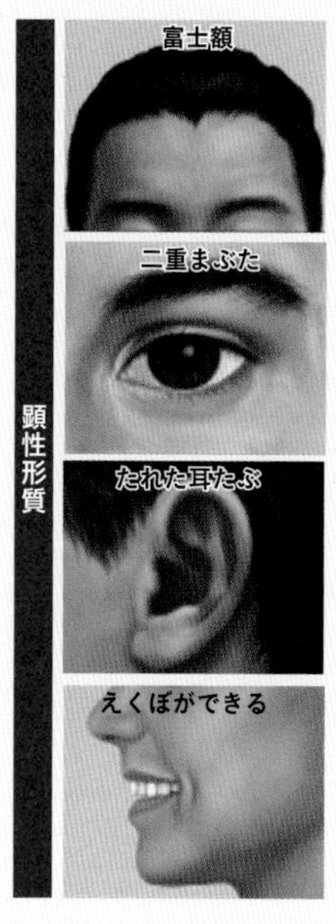

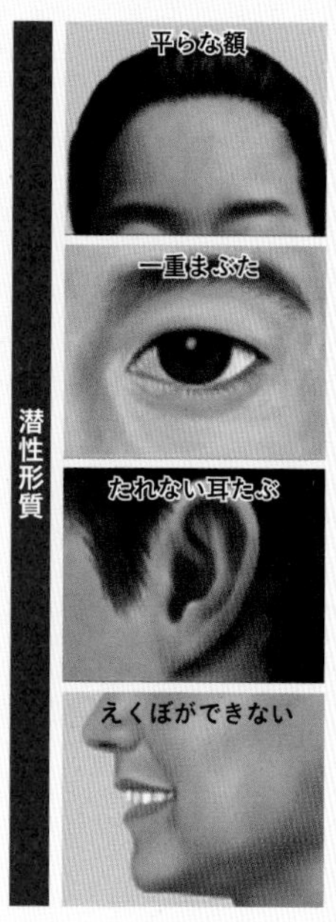

メンデルの法則

親から子へ伝わる，「遺伝」のしくみを説明する法則。「顕性の法則」「分離の法則」「独立の法則」の三つからなる。

集団内での遺伝子頻度「ハーディ・ワインベルグの法則」

ある条件が整えば，集団内の遺伝子頻度は変化しない

同じ生物種からなる集団でも，遺伝子の組み合わせは，それぞれちがいます。前ページで例にあげた「丸形」「しわ形」のように，対立する二つの遺伝子（対立遺伝子）が集団の中に含まれる割合を「遺伝子頻度」とよびます。

限られた集団の中で遺伝子交配を行い，子孫を残す場合，どんな組み合わせの対立遺伝子をもった子孫がどのくらい生まれてくるのかによって，集団内における対立遺伝子の遺伝子頻度は変わってきます。

しかし，（1）集団がある程度大きい，（2）交配がランダムに行われる，（3）突然変異がおこらない，（4）個体の流入や流出（遺伝子の流動）がおこらない，（5）自然選択がはたらかない，という条件のもとであれば，その集団内における対立遺伝子の遺伝子頻度は，交配をくりかえした世代であっても変わることはありません。これを「ハーディ・ワインベルグの法則」とよびます。

この法則は，数学的に証明できます。たとえば，対立遺伝子Aとaをもつ生物種がいるとします。集団内におけるAの遺伝子頻度を p，aの遺伝子頻度を q（$p+q=1$）とおきます。この集団内で遺伝子交配がおきると，$(\mathrm{A}p+\mathrm{a}q)^2$ の計算により，次世代の対立遺伝子Aの遺伝子頻度は p，対立遺伝子aの遺伝子頻度は q となり，前世代と変わりません。

集団内で遺伝子頻度の変化がおこる場合は，「（1）から（5）のうち，どれかの条件がなりたっていない」と考えられます。

集団内での対立遺伝子の割合は変わらない

ある地域に生息するマルバアサガオの集団で遺伝子交配を行っても，次世代で対立遺伝子の遺伝子頻度が変化しないことを，計算で示しました。マルバアサガオには，花の色を赤色にする対立遺伝子（A）と白色にする対立遺伝子（a）があります。これらの対立遺伝子は優劣関係が完全ではないため，両方の遺伝子型（Aa）をもつ個体は，赤と白の中間色であるピンクになります。

ある地域に生息するマルバアサガオの遺伝子型の組成

A の遺伝子頻度：a の遺伝子頻度＝ 0.7 ： 0.3 （A の遺伝子頻度＋ a の遺伝子頻度＝ 1）

対立遺伝子Aの遺伝子頻度 p が0.7，対立遺伝子aの遺伝子頻度 q が0.3のとき，交配がおこったあとの遺伝子頻度はどうなる？

$$(0.7A+0.3a)^2 = 0.7^2AA+2\times0.7\times0.3Aa+0.3^2aa$$

対立遺伝子のあらわれる頻度（遺伝子頻度）

$$\begin{aligned} A : a &= 2\times0.7^2+2\times0.7\times0.3 : 2\times0.3^2+2\times0.7\times0.3 \\ &= 0.7^2+0.7\times0.3 : 0.3^2+0.7\times0.3 \\ &= 0.7(0.7+0.3) : 0.3(0.3+0.7) \\ &= 0.7 : 0.3 \end{aligned}$$

ハーディ・ワインベルグの法則

ある条件のもとであれば，その集団内における対立遺伝子の遺伝子頻度は，交配をくりかえした世代でも変化しない。

神経細胞の興奮状態を示す「全か無かの法則」

神経細胞の興奮は，受け取る刺激の強さで決まる

目や耳などの感覚器官がとらえた情報は，刺激として神経細胞に伝えられます。刺激を受け取ると，神経細胞の内部にナトリウムイオン※が流れこみ，部分的に電流が走って神経細胞は興奮します。すると，電気の変化を受けて，神経細胞の表面に並んでいた「ナトリウムイオンチャンネル」が開き，となりの神経細胞にナトリウムイオンが流出します。これをくりかえすことで，刺激が脳まで伝えられるのです。

ところが，最初に受け取る刺激がある強さ（閾値）に達しないと，ナトリウムイオンは流れず，神経細胞の興奮もおこりません。逆に，その閾値よりも強い刺激があたえられても，神経細胞が刺激の強さの分，はげしく興奮することはありません。

つまり，刺激を受け取った神経細胞の反応は，興奮するかしないかの，どちらかしかないのです。これを「全か無かの法則」といいます。

※：電荷を帯びたイオン。Na^+。

神経細胞

軸索

局所的な電流が流れる

神経細胞の内部にナトリウムイオンが流入すると，内部の電位が急速にプラスに変わり，局所的な電流が流れます。すると，この局所的な電流を感知したとなりのナトリウムイオンチャンネルが開き，細胞の内部にナトリウムイオンを流入させます。これがくりかえされることで，神経細胞の内部を電気の刺激が移動していきます。

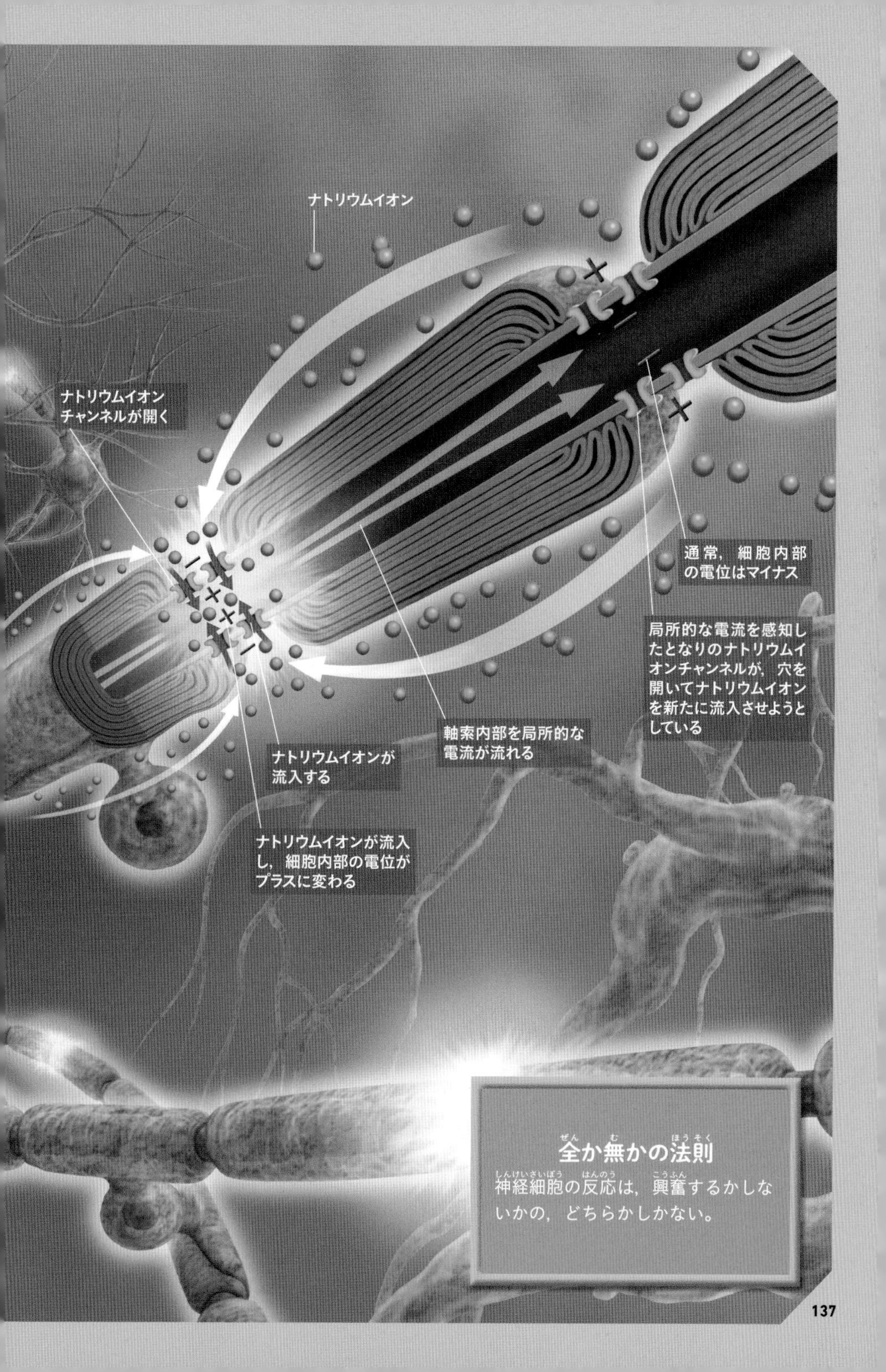

全か無かの法則

神経細胞の反応は，興奮するかしないかの，どちらかしかない。

Column

コーヒーブレーク

紹介しきれなかった「さまざまな法則」

運動と波の法則

てこの原理

てこには，「支点（てこを支える点）」「力点（力を加える点）」「作用点（力がおよぼされる点）」という三つの点があります。力点側に力をかけ，支点を中心にてこを下向きに回転させることで，反対側の作用点にある物体を軽く持ち上げられます。「てこの原理」は，栓抜きなどに応用されています。

アルキメデスの原理

水などの液体（または気体）が，そこに入っている物体を押し上げようとする力を「浮力」といいます。浮力の大きさは，物体を水に沈めたときに押しのけられる水の重さと同じ大きさになります（下の図）。これを「アルキメデスの原理」といいます。

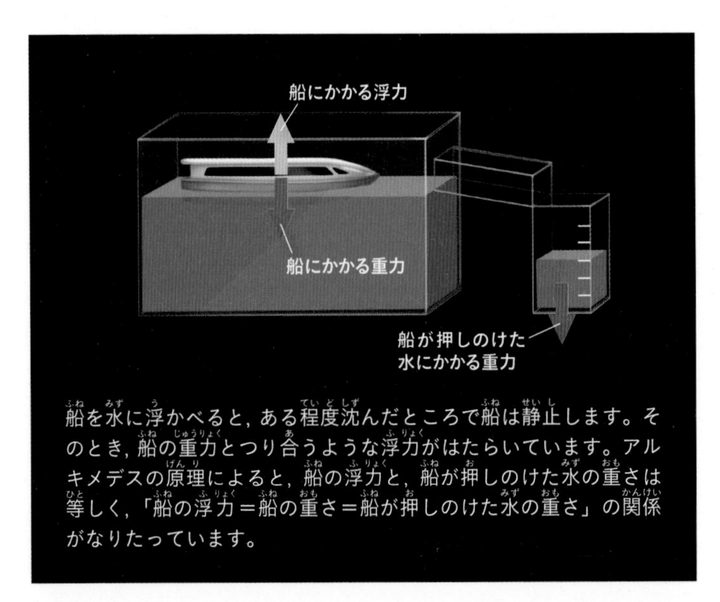

船を水に浮かべると，ある程度沈んだところで船は静止します。そのとき，船の重力とつり合うような浮力がはたらいています。アルキメデスの原理によると，船の浮力と，船が押しのけた水の重さは等しく，「船の浮力＝船の重さ＝船が押しのけた水の重さ」の関係がなりたっています。

4章からここまでに，さまざまな法則（原理）を紹介してきました。**そのほかの重要な法則を，まとめて紹介します。実はこれ以外にも，紹介しきれなかった法則はまだまだたくさんあります。**

法則は，科学者たちが苦心と努力の末にみつけだした，“自然界のルール”です。科学者が研究を行うのは，法則をみつけるためだといっても過言ではないのです。

電気と磁気の法則

クーロンの法則

電気を帯びた粒子どうしの間にはたらく引力や反発力の大きさは，電気の量の積に比例し，距離の2乗に反比例するという法則です。また，磁石にはN極とS極という「磁極」があり，ことなる磁極は引き合い，同じ磁極は反発し合います。磁極から生じる力の大きさも磁気の量に比例し，磁極どうしの距離の2乗に反比例します。

電磁誘導の法則

コイルをつらぬく磁力線の量が増減すると，コイルには電圧が発生し，電流が生じるという法則です。たとえば，火力発電所では石油などの燃料を燃やした熱で水を蒸発させ，その水蒸気を吹きつけることでタービンをまわし，巨大な電磁石を回転させます。電磁石のまわりにはコイルが置かれており，このコイルに電流が流れるのです。

化学と生物の法則

質量保存の法則

「反応する物質の全質量と，反応の結果できた生成物の全質量は変わらない」という法則です。たとえば，鉄に酸素を結合させて酸化鉄をつくる反応では，反応に使われた鉄と酸素の全質量と，生成物である酸化鉄の全質量は変わりません。

定比例の法則

「一つの化合物を構成する元素どうしの質量の比は，生成方法によらず，つねに変わらない」という法則です。たとえば，酸素とマグネシウムが結合してできる酸化マグネシウムの酸素とマグネシウムの質量の比は，つねに2：3です。

おわりに

これで『単位と法則事典』はおわりです。いかがでしたか。

日常的に使われている身近なものから，少しマニアックなものまで，さまざまな単位と法則を紹介しました。よくみかける単位の意味やなりたちをはじめて知ったり，自然界の意外な法則におどろいたりしたのではないでしょうか。中学・高校ではなじみのない数式も登場し，少しむずかしかったかもしれません。

単位も法則も，この世界を知るために欠かせないものです。単位がなければ，長さも重さも時間も「感覚」でしかあらわすことができず，経済活動がなりたたなくなります。自然界の法則を知らなければ，科学の発展などありえません。私たち人間が築いてきた文明は，さまざまな単位と法則に支えられているといっても過言ではないでしょう。

それぞれの国や地域で使われている単位や，自然科学の原理・法則は，まだまだたくさんあります。この機会にぜひ，探求してみてはいかがでしょうか。

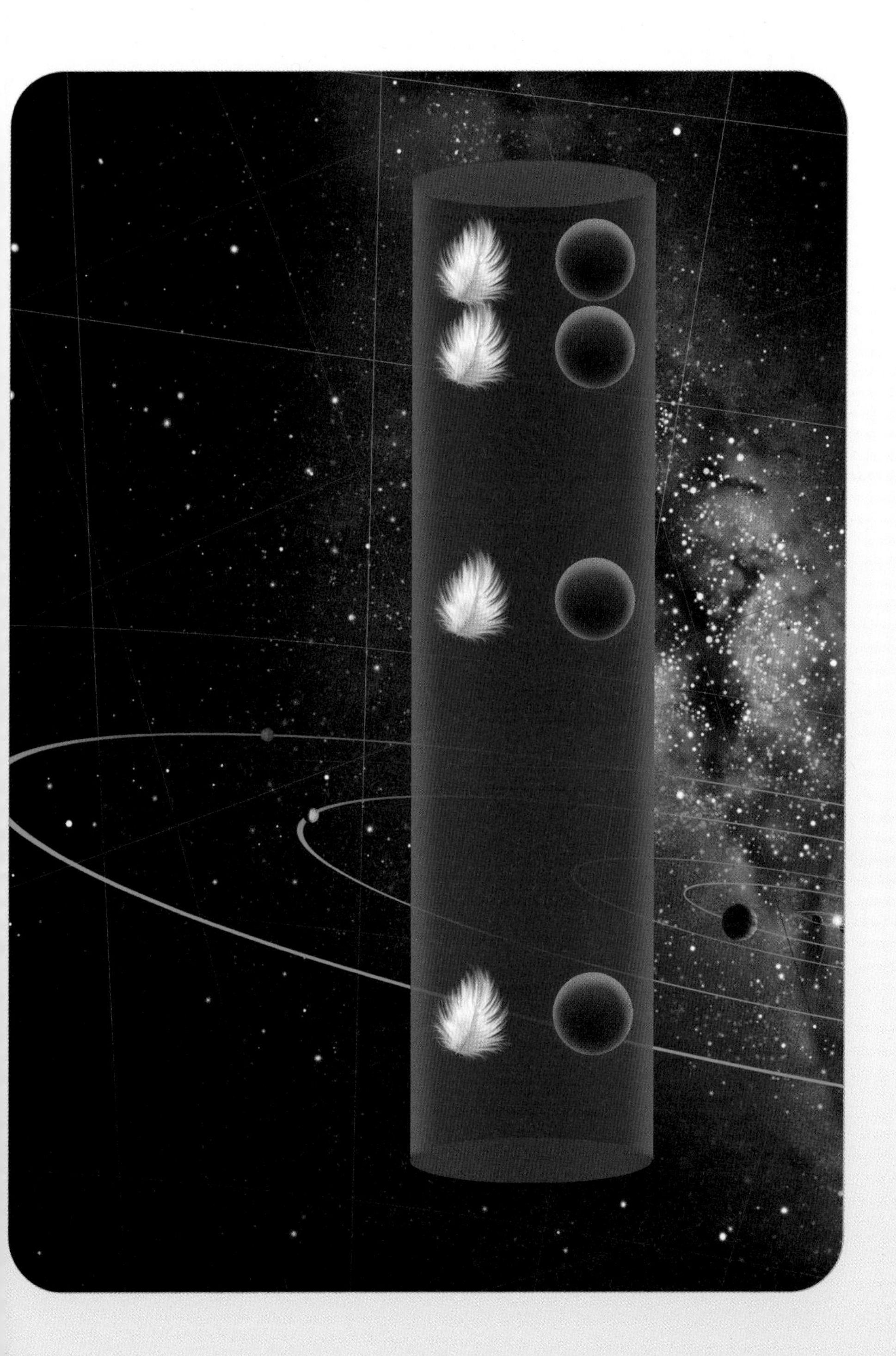

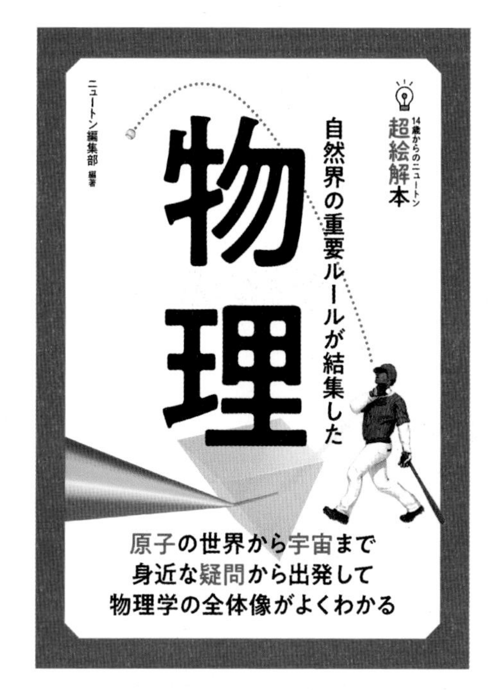

摩擦がなければ
歩くことさえできない

太陽光で発電
できるのはなぜ?

物理がわかればあれも
これも説明できる

—— 目次（抜粋）——

Staff

Editorial Management　中村真哉
Cover Design　秋廣翔子
Design Format　宮川愛理
Editorial Staff　上月隆志，佐藤貴美子

Photograph

37　【コンセント】jovica antoski/stock.adobe.com
40-41　Valemaxxx/stock.adobe.com
50-51　Sergey Nivens/stock.adobe.com
67　【指輪】Riocool/stock.adobe.com
68-69　Photo Sesaon/stock.adobe.com
73　【天秤】akr11_st/stock.adobe.com,【大麦】Arundhati/stock.adobe.com

Illustration

表紙カバー　Newton Press
表紙　Newton Press
2　Newton Press
7　Newton Press
8-9　macrovector/stock.adobe.com
10-11　Newton Press
13〜17　Newton Press
19〜21　Newton Press
23　吉原成行
24-25　Newton Press
27　Newton Press
31〜35　Newton Press
37　Newton Press
38　小﨑哲太郎
39　小林 稔
40　【天気図】Newton Press
42〜49　Newton Press
51　Newton Press
55　Newton Press
57　小林 稔
58〜61　Newton Press
63〜67　Newton Press
69　Newton Press
72-73　羽田野乃花，Newton Press
75　Newton Press
76　【ガリレオ】小﨑哲太郎
76〜89　Newton Press
91〜97　Newton Press
99〜101　Newton Press
103〜116　Newton Press
118-119　Newton Press
120-121　小林 稔
122~125　Newton Press
127　Newton Press
129　Newton Press
131　Newton Press
133　Newton Press
135〜138　Newton Press
141　Newton Press

本書は主に，ニュートンライト2.0『単位』，ニュートンライト2.0『法則の事典』，ニュートン別冊『単位と法則大百科 改訂第2版』，Newton大図鑑シリーズ『単位と法則大図鑑』の一部記事を抜粋し，大幅に加筆・再編集したものです。

初出記事へのご協力者（敬称略）：
浅井圭介（東北大学工学研究科教授）／池内 了（総合研究大学院大学名誉教授）／池上 健（一般財団法人マイクロマシンセンターHS-ULPAC研究センター長）／小野輝男（京都大学化学研究所教授）／金子晋久（国立研究開発法人産業技術総合研究所計量標準総合センター首席研究員）／倉本直樹（国立研究開発法人産業技術総合研究所計量標準総合センター首席研究員）／洪 鋒雷（横浜国立大学大学院工学研究院教授）／郷田直輝（国立天文台JASMINEプロジェクト・教授［プロジェクト長］）／佐藤一郎（国立情報学研究所情報社会相関研究系教授）／座間達也（国立研究開発法人産業技術総合研究所計量標準総合センター連携推進室知財オフィサー）／清水由隆（国立研究開発法人産業技術総合研究所計量標準総合センター主任研究員）／真貝寿明（大阪工業大学情報科学部教授）／諏訪田 剛（高エネルギー加速器研究機構教授）／髙橋邦夫（東京工業大学環境・社会理工学院教授）／田村 收（一般財団法人日本品質保証機構計量計測部門勤務）／中込弥男（元東京大学医学部教授）／中野 享（国立研究開発法人産業技術総合研究所計量標準総合センター主任研究員）／平井亜紀子（国立研究開発法人産業技術総合研究所計量標準総合センター研究グループ長）／尾藤洋一（国立研究開発法人産業技術総合研究所計量標準総合センター副研究部門長）／藤井賢一（国立研究開発法人産業技術総合研究所計量標準総合センター招聘研究員）／渡部潤一（自然科学研究機構国立天文台上席教授）／和田純夫（元・東京大学総合文化研究科専任講師）

超絵解本
科学の理解が深まる単位と重要法則100
おもしろくてタメになる 単位と法則事典

2023年9月25日発行

発行人　高森康雄
編集人　中村真哉
発行所　株式会社 ニュートンプレス
〒112-0012東京都文京区大塚3-11-6
https://www.newtonpress.co.jp

ISBN978-4-315-52738-4